Le témoin
silencieux

Le témoin silencieux

Carol Ellis

Traduit de l'anglais par
LOUISE BINETTE

EH Les éditions
Héritage inc.

Données de catalogage avant publication (Canada)

Ellis, Carol, 1945-

Le témoin silencieux

(Frissons ; 44)
Traduction de: Silent witness.
Pour les jeunes.

ISBN: 2-7625-7807-8

I. Titre. II. Collection.

PZ23.E45Té 1994   j813'.54   C94-940802-6

Silent Witness
Copyright © 1994 Carol Ellis
Publié par Scholastic Inc., New York

Version française
© Les éditions Héritage inc. 1994
Tous droits réservés

Dépôts légaux: 3e trimestre 1994
Bibliothèque nationale du Québec
Bibliothèque nationale du Canada

ISBN: 2-7625-7807-8   Imprimé au Canada

LES ÉDITIONS HÉRITAGE INC.
300, Arran, Saint-Lambert (Québec) J4R 1K5
(514) 875-0327

FRISSONS ™ est une marque de commerce des éditions Héritage inc.

Chapitre 1

Odile Mousseau se réveilla en sursaut et émergea d'un sommeil profond, le sourire aux lèvres. Encore une fois, elle avait entendu le bruit sourd et rythmé du ballon de basket. Son voisin, Olivier Toupin, lançait au panier dans l'allée. Lorsqu'elle s'efforçait d'étudier mais n'y parvenait pas, le bruit monotone du ballon heurtant le panneau pouvait la rendre folle. Cette fois, cela la fit sourire.

Pourtant, le bruit n'était pas réel. Olivier, qui faisait un mètre soixante-huit et rêvait d'en mesurer deux, ne s'entraînait pas dans l'allée. Il se trouvait deux mètres sous terre, ayant été inhumé trois semaines plus tôt. Olivier était mort il y avait maintenant un mois.

« J'ai encore rêvé de lui », se dit Odile en s'assoyant et en clignant des yeux dans l'obscurité. De toutes les choses dont elle se souvenait à propos d'Olivier, c'était le bruit de son ballon de basket qui la hantait le plus, même dans son sommeil.

Ils avaient été voisins depuis leur deuxième année. Ça ne représentait que dix ans, mais on aurait dit une éternité. Ils n'avaient jamais été plus que des amis ; de bons amis, toutefois. Odile ne s'y était pas vraiment arrêtée avant sa mort. Olivier était là, tout simplement, et la taquinait sans arrêt. Mais parfois il savait aussi lui rendre sa bonne humeur, comme le jour de sa première leçon de conduite qui s'était avérée un désastre.

Puis soudain, il avait disparu.

Est-ce que c'était pire parce que sa mort avait été tout à fait inattendue ? Il avait grimpé, seul, sur le mur de soutènement d'un talus très haut qui s'effritait. Tout le monde aimait marcher là. Mais seul Olivier était tombé. Personne n'y allait plus.

S'il avait souffert d'une longue et pénible maladie au lieu de faire une chute, Odile aurait-elle eu moins de mal à s'habituer à son absence ?

Peut-être, mais il lui aurait manqué quand même. Malgré ses taquineries.

« Ça suffit. »

Odile jeta un coup d'œil au réveil sur sa table de chevet. Il était quatre heures et il faisait nuit noire. Encore deux heures et demie avant qu'elle se lève pour se préparer à aller à l'école. Horace, son chat gris et blanc, leva la tête au pied du lit et la fixa : allait-elle le déranger encore ou se recoucher ? Odile retourna l'oreiller et s'étira, incapable de se rendormir.

Ce n'était pas un bruit inscrit dans sa mémoire qui l'empêchait de dormir, mais une présence. Pas une présence imaginaire ni rêvée, mais bien réelle. Une présence dans sa chambre, là-bas, dans le coin, qui était là depuis deux semaines et ramassait la poussière.

« Ne te dérobe pas, se dit Odile. Une fois que tu l'auras regardée et que tu auras décidé ce que tu veux en faire, les rêves cesseront peut-être. »

C'était l'automne, bientôt l'halloween, et il faisait froid dans la chambre. Odile repoussa les couvertures et passa son peignoir ouatiné ; il était si confortable qu'elle avait l'impression d'être enveloppée dans un épais cocon bleu. Un jour où elle était sortie chercher le journal dans l'allée, Olivier l'avait aperçue vêtue de ce peignoir et l'avait surnommée « la petite bonne femme Pillsbury ».

Odile enfila une paire de chaussettes épaisses, se leva et libéra ses longs cheveux bruns retenus dans son peignoir. Elle se tenait devant la fenêtre, celle qui donnait sur le côté de la maison des Toupin.

Elle n'avait pas baissé le store et, à travers le rideau de voile blanc transparent, elle crut apercevoir un trait de lumière dans le salon des Toupin.

Avait-elle bien vu ? Pourtant, les parents d'Olivier étaient partis. Ils tentaient d'apaiser leur chagrin en voyageant.

En s'approchant de la fenêtre, Odile tira le rideau et observa la maison attentivement. Elle retint sa respiration, comme si cela allait faire réapparaître la lueur.

Elle expira et continua à regarder jusqu'à ce que son souffle embuât la fenêtre. Elle essuya alors la buée et fixa de nouveau. Elle ne vit rien d'autre que le contour indistinct de la demeure des Toupin.

« Probablement un fantôme, pensa Odile. Comme le bruit rythmé du ballon de basket. Il n'y a qu'une façon de m'en débarrasser. »

Elle lâcha le rideau, contourna son lit et se dirigea vers la garde-robe. Elle en ouvrit la porte et tira la chaînette de la lumière. Une faible lueur se répandit sur le sol jusque dans le coin de la pièce où était posée, depuis deux semaines, une grosse boîte en carton.

Tandis qu'Odile s'agenouillait à côté de la boîte, tout lui revint à l'esprit.

C'était une semaine après les funérailles d'Olivier. On avait sonné à la porte et Odile était allée ouvrir. Madame Toupin se tenait sur le pas de la porte avec une boîte dans les mains.

Odile ne l'avait pas revue depuis les obsèques. C'était une femme petite aux yeux brun foncé et vifs dont Olivier avait hérité. Ses yeux ne brillaient pas ce jour-là.

— Nous partons pour quelque temps, avait commencé madame Toupin quand Odile l'avait invitée à entrer.

Elle avait posé la boîte dans le vestibule et s'était redressée.

— J'ai un service à te demander, Odile.

Celle-ci avait hoché la tête en espérant qu'elle paraissait obligeante. Elle voulait l'être, mais ne cessait de fixer la boîte et n'aimait pas ce qu'elle voyait.

— Dis-le-moi si c'est trop te demander, avait poursuivi madame Toupin. J'ai fait le ménage dans les affaires d'Olivier. J'ai conservé certaines choses, bien sûr. J'aurais voulu en donner quelques-unes à ses amis, mais je ne me sentais pas capable de les appeler tous. Alors j'ai cru que tu pourrais prendre ce que tu veux — mais je t'en prie, ne t'y sens pas obligée — puis distribuer le reste pour moi.

— Bien sûr, je le ferai avec plaisir, avait répondu Odile.

Mensonge. Ce n'était pas trop lui demander, mais elle n'était pas très heureuse de le faire. Elle n'avait même pas voulu regarder ce qu'il y avait dans la boîte et l'avait placée dans un coin de sa chambre, puis couverte d'un vieux drap.

«Lâche, se dit Odile. Si la mère d'Olivier s'est astreinte à rassembler toutes les affaires de son fils, tu peux au moins y jeter un coup d'œil et les distribuer.»

Horace vint rejoindre Odile en ronronnant et se frotta contre sa jambe. Odile le caressa entre les oreilles durant un moment, puis enleva le drap qui couvrait la boîte et commença à en sortir des objets.

Trois affiches: l'une de Michael Jordan et deux vieilles affiches de film. Olivier avait voulu devenir cinéaste un jour.

Quinze magazines de bandes dessinées: des pièces de collection? Odile n'en avait aucune idée.

Une vidéocassette: la caméra d'Olivier ne le quittait jamais.

Des photographies: elles remontaient à l'époque où Olivier, n'ayant pas encore découvert la vidéo, était un mordu de la photo. Il y en avait une d'elle la montrant alors qu'elle s'apprêtait à lui lancer une boule de neige.

Une vingtaine de disques compacts : Odile sourit en se rappelant qu'elle devait fermer la fenêtre quand la chaîne stéréo d'Olivier marchait à plein.

Des centaines de cartes de baseball : Olivier les avait collectionnées avec passion jusqu'à l'âge de quatorze ans environ. Odile lui avait donné de l'argent à quelques reprises pour qu'il les achète, en échange de la gomme à mâcher.

Et enfin, le ballon de basket.

Odile s'assit sur ses talons en songeant déjà à ce qui pourrait plaire à l'un ou à l'autre. Elle saisit la vidéocassette. Il n'y avait pas de titre. L'enveloppe en plastique était marquée d'une égratignure en forme de Z.

Un peu endormie mais curieuse, elle sortit dans le couloir, passa devant la chambre de ses parents et se retrouva dans le salon. Le chat marchait à pas feutrés à côté d'elle. Odile alluma une lampe, le téléviseur et le magnétoscope et s'installa dans le fauteuil à bascule pour regarder le « film » d'Olivier.

La cassette débutait par le « lavothon » qui avait eu lieu à la polyvalente le printemps précédent. Les élèves avaient autant d'eau et de savon sur eux que les voitures. On aperçut Isabelle Berger, la meilleure amie d'Odile, qui tendait le tuyau d'arrosage à Odile. La caméra avait effectué un panoramique avant de s'arrêter sur François Ostiguy, qui dirigeait la circulation. C'est lui qui avait organisé cette activité. Ce garçon était infatigable ; il faudrait lui consacrer un annuaire entier pour arriver à énumérer toutes les activités auxquelles il avait participé.

Il n'y avait pas de son ; Odile se souvenait d'avoir entendu Olivier mentionner qu'il aimerait ajouter ses propres commentaires un jour.

Le lavothon se poursuivit durant quelques minutes, puis le décor changea. Des gens déambulaient dans la rue. Certains semblaient embarrassés par la caméra ; d'autres, au contraire, se jetaient presque devant.

Il y eut un autre changement de scène. L'action se déroulait maintenant sur la terrasse chez Olivier. C'était lors de la fête qu'il avait organisée le 24 juin dernier. Il s'agissait d'une prise de vue plutôt chancelante montrant Suzie Godin et Patrice Forest en train de danser un slow, enlacés. La minuscule Suzie et l'énorme Patrice, les inséparables. Ils sortaient ensemble depuis plusieurs années. Odile les aimait bien, mais ne les connaissait pas personnellement. On disait toujours « Patrice et Suzie » ; jamais l'un ou l'autre.

Il y eut d'autres séquences dans la rue, puis de nombreux plans où l'on ne voyait que la cime des arbres et le ciel. Olivier avait dû se coucher sur le dos.

Odile bâilla. Il était passé cinq heures. Il lui restait presque encore une heure et demie de sommeil si elle pouvait s'endormir très vite avant qu'il fasse jour. En bâillant encore une fois, elle éteignit le magnétoscope et le téléviseur et se dirigea vers sa chambre. Le chat était déjà pelotonné sur le lit.

Dehors, l'obscurité complète commençait à peine à s'atténuer. Le ciel serait bientôt d'un gris foncé, puis plus pâle et, au matin, d'un blanc lumineux.

Odile baissa le store, enleva son peignoir et se mit au lit en tournant le dos à la fenêtre.

* * *

Dans la maison des Toupin, un faible rayon de lumière se déplaçait d'une pièce à l'autre, tel un petit phare dans la nuit. Si Odile avait regardé, elle l'aurait vu.

Mais Odile dormait à poings fermés.

Chapitre 2

En arrivant à la polyvalente plus tard ce matin-là, Odile, qui tenait un grand sac en papier dans une main, essuya les gouttes de pluie sur ses cheveux. La noirceur de la nuit précédente avait fait place à un ciel gris pâle qui n'avait rien d'éclatant. Il s'était mis à pleuvoir.

— Tu n'as pas pu déjà faire des courses, dit Isabelle Berger en fixant le sac. Il n'est que huit heures trente.

— Je ne suis allée nulle part, expliqua Odile pendant qu'elles marchaient vers leurs casiers. Ce sont les affaires que la mère d'Olivier m'a remises. Tu te souviens, je t'en ai parlé?

Isabelle fit un signe affirmatif. Ses cheveux, presque de la même longueur et de la même nuance de brun que ceux d'Odile, balayèrent ses épaules.

— Tu y as finalement jeté un coup d'œil? demanda-t-elle.

— Ça n'a pas été aussi pénible que je le craignais, dit Odile. Peut-être parce que je l'ai fait à quatre heures et que j'étais trop endormie pour être bouleversée. Maintenant que c'est fait, je suis prête à distribuer la plupart de ses choses.

— De quoi s'agit-il?

— De magazines de bandes dessinées, d'affiches, commença Odile. De disques compacts. D'une vidéocassette… Rien à voir avec ce que tu fais, cependant, ajouta-t-elle.

Isabelle faisait partie du club de cinéphiles de l'école et rêvait de travailler dans un studio de télévision ou de cinéma plus tard.

— Je n'en ai visionné qu'une partie, mais c'est assez amusant à regarder: le lavothon, la fête du 24 juin, des gens qui marchent dans la rue.

Isabelle sourit.

— Olivier rendait tout le monde fou avec sa caméra.

— Il n'y a pas de bande sonore, par contre, continua Odile. On ne peut pas entendre ce que les gens disent. De toute façon, je garde la vidéocassette et quelques disques compacts. Mais j'ai apporté le reste de ses affaires.

Elles se trouvaient maintenant devant le casier d'Odile. Celle-ci posa le sac par terre.

— Pourquoi ne regardes-tu pas s'il y a quoi que ce soit que tu aimerais avoir?

Tandis qu'Odile pendait son manteau et fouillait son casier à la recherche d'un cahier de notes, Isabelle s'agenouilla près du sac.

— Ça me fait tout drôle de voir les affaires d'Olivier, dit-elle.

— Pourquoi penses-tu que je remettais toujours ça à plus tard? demanda Odile.

Elle trouva enfin son cahier de notes et fit tomber accidentellement son vieil imperméable jaune serin, qui était pendu dans son casier depuis le mois de septembre.

— Hé! est-ce que je peux te l'emprunter? demanda Isabelle en se levant. J'ai promis à ma mère d'aller porter la voiture au garage à l'heure du dîner. Je devrai revenir à l'école à pied et je crois qu'il va pleuvoir.

Le tonnerre gronda au loin, comme pour confirmer ses paroles.

— Prends-le, dit Odile en ramassant l'imperméable et en le tendant à Isabelle. J'ai l'impression d'être une enseigne lumineuse au néon quand je le porte. Qu'est-ce que tu as choisi? demanda-t-elle à Isabelle qui tenait des disques compacts.

— Seulement ces deux-là.

Isabelle les montra à Odile.

— En fait, je les ai déjà, mais j'ai envie de garder quelque chose de lui en souvenir.

— Je comprends, dit Odile.

Elle sentit les larmes lui piquer les yeux.

— Tu veux une affiche? Les cartes de baseball, peut-être?

Isabelle rit un peu en refoulant aussi ses larmes.

— Non, mais quand tu auras fini de regarder la vidéocassette, j'aimerais bien la visionner à mon tour.

— Je crois que tout le monde aimerait la voir, fit remarquer Odile.

— Donne-la-moi et je la mettrai au point. Il faut

que j'y aille, ajouta-t-elle au moment où la sonnerie retentit.

Isabelle s'éloigna à reculons dans le corridor.

— Je pourrais même y ajouter une bande musicale. Nous pourrions organiser une projection par la suite.

« Comme une veillée mortuaire », se dit Odile au moment où Isabelle tourna le coin et disparut.

En entrant dans la cafétéria à l'heure du dîner, Odile se rappela l'ambiance qui régnait le lendemain de la mort d'Olivier. Les élèves qui ne le connaissaient pas trouvaient ça triste, mais un peu excitant aussi. Ils mangeaient rapidement et parlaient la bouche pleine, avides de détails.

Ceux qui le connaissaient, surtout ses amis intimes, picoraient dans leur assiette ou ne mangeaient pas du tout. Ils parlaient peu et se dévisageaient ou encore fixaient la table.

Patrice avait paru troublé et mélancolique ce jour-là et Odile se souvenait d'avoir été ennuyée ; il arborait la même expression affligée que lorsqu'un professeur donnait une interrogation-surprise. Puis elle avait eu honte d'avoir eu une telle pensée. Elle ne raffolait pas de Patrice, mais il avait été l'ami d'Olivier. Il souffrait aussi.

Suzie, elle, avait semblé furieuse. Elle avait les traits tirés et s'était libérée de l'étreinte de Patrice d'un haussement d'épaules. Odile en avait conclu qu'elle s'efforçait de ne pas pleurer.

Isabelle, de son côté, ne s'était même pas donné

la peine d'essayer de retenir ses sanglots. Elle avait pleuré à chaudes larmes, tout comme Odile.

Quant à François, il avait les yeux rougis, comme s'il avait étudié une partie de la nuit. Puisqu'il était premier de classe, c'était probablement ce qu'il avait fait. Néanmoins, Odile pensait qu'il avait dû pleurer un peu, lui aussi.

Odile ignorait si Charles avait pleuré. Il n'était pas venu à la cafétéria ce jour-là.

Charles Martineau. Odile trouvait que c'était un nom qui sonnait bien. Rien qu'à l'entendre ou à penser à lui, elle ressentait une vive émotion.

Il avait déménagé à Mont-Rouge au mois d'août. Odile ne savait pas s'il s'était fait beaucoup d'amis, mais Olivier était l'un d'eux. De la fin du mois d'août jusqu'à la mort d'Olivier, Charles était venu souvent jouer au basket-ball chez les Toupin. Quand Odile se trouvait dans sa chambre, elle les entendait. Parfois ils plaisantaient ou se lançaient des insultes amicales à propos de la qualité de leurs lancers. La plupart du temps, toutefois, elle ne percevait que le bruit du ballon heurtant le panneau ou le sol.

Il lui était arrivé de les regarder jouer par la fenêtre. Charles était plus grand qu'Olivier, quoique pas aussi rapide. Il avait les cheveux blond foncé et les yeux bleus. Ou gris. Odile ne s'en souvenait plus. Elle ne l'avait vu de près qu'à quelques occasions. Il avait été l'ami d'Olivier, mais c'était tout ce qu'elle savait à propos de lui. Il semblait plutôt distant. Pas vraiment froid, mais un peu indifférent et… mystérieux. Odile souhaitait faire plus ample connaissance.

Charles n'était dans aucun des cours d'Odile et quand elle le croisait dans le corridor, il était habituellement seul. Ce devait être terrible de déménager en cinquième secondaire. Elle se demandait si Olivier avait été son seul ami.

En balayant la cafétéria du regard, Odile repéra Suzie et Patrice. Puis, François. Mais pas Charles. Il n'était pas là encore aujourd'hui. Il était peut-être sorti.

Odile avait apporté son repas, qu'elle avait mis dans le sac avec les affaires d'Olivier. Elle acheta une boîte de jus et se fraya un chemin à travers la foule bruyante jusqu'à la table de François.

— Qu'est-ce que tu as là? Un rôti de bœuf? demanda François en désignant le gros sac.

Des notes d'histoire étaient éparpillées autour de lui. C'était le seul cours qu'ils avaient en commun.

Odile tira une chaise et poussa l'un des cahiers de François. Elle posa son sac sur le sol et en sortit son dîner: un sandwich et une pomme.

— Voilà mon repas, dit-elle. Le sac contient les affaires d'Olivier.

Il fronça les sourcils.

— Qu'est-ce que tu veux dire?

— Madame Toupin m'a remis quelques objets ayant appartenu à Olivier afin que je les distribue à ses amis, expliqua Odile. Alors je les ai apportés ici.

Le regard de François erra sur le sac.

— Vous étiez assez bons amis, déclara Odile. J'ai pensé que tu voudrais peut-être garder quelque chose.

François ne dit rien.

— Écoute, tu n'es pas obligé de prendre quoi que ce soit, dit Odile. Ce sont des trucs banals. Sauf qu'ils ont appartenu à Olivier.

François secoua la tête.

— Désolé. Ce n'est pas que je ne veux rien prendre, dit-il, mais je ne m'attendais pas à ça, c'est tout. Plus maintenant, en tout cas.

— Je sais, c'est ma faute, dit Odile. J'ai mis du temps à me décider.

François fit un signe affirmatif d'un air plein de compréhension.

— D'accord, dit-il. Quels trésors Olivier a-t-il laissés ?

Odile sourit.

— Des cartes de baseball, environ mille. Des affiches, des magazines de bandes dessinées, des disques compacts.

Elle ne mentionna pas le ballon de basket.

— Il y a également une vidéocassette, mais je la garde. Il traînait toujours sa caméra, tu te souviens ? Il nous a tous filmés. Isabelle croit que nous devrions organiser une soirée pour regarder ça ensemble.

François rit.

— C'est un film pour tous ?

— Oui, jusqu'à maintenant. Mais…

Odile hocha la tête vers la table où étaient assis Patrice et Suzie.

— … il y a une séquence où on les voit danser lors de la soirée du 24 juin, poursuivit-elle en souriant.

— Il vaudrait mieux l'interdire aux moins de seize ans, alors, plaisanta François.

— Et puis, qu'aimerais-tu garder ? demanda Odile en posant le sac sur ses genoux. Les cartes de baseball, peut-être ? Olivier en faisait la collection. Certaines d'entre elles ont peut-être de la valeur aujourd'hui.

— Si je les prenais, je ne les vendrais pas.

François se pencha au-dessus de la table et jeta un coup d'œil dans le sac.

— Hé ! son ballon de basket ! dit-il. Qui va le prendre ?

— Toi, si tu veux, répondit Odile. Il n'y a aucun testament, après tout. Je laisse les gens choisir.

Elle espérait toutefois que François n'opterait pas pour le ballon.

— Michael Jordan, dit François en déroulant une affiche. Le héros d'Olivier. Je crois que je vais la prendre.

Il roula l'affiche.

— Merci, Odile.

— De rien.

Odile finit son sandwich et sa pomme et se leva.

— Je vais voir si Suzie et Patrice veulent quelque chose.

François était déjà replongé dans ses notes d'histoire.

— Hé ! François ! dit Odile. Avant notre prochain examen, est-ce que je pourrais t'emprunter tes notes ?

— Pas question.

François ne leva pas les yeux.

— Mais je t'en ferai une copie, ajouta-t-il d'un ton amusé.

Elle rit.

— Merci. À bientôt, François.

Il n'avait pas l'habitude d'être aussi généreux quand il était question de ses notes. À vrai dire, il pouvait se prendre très au sérieux quelquefois. Odile s'éloigna rapidement avant qu'il change d'idée.

Suzie et Patrice étaient seuls à leur table ; ils étaient assis du même côté, leurs chaises rapprochées. « Dans leur propre monde », pensa Odile. Elle se plaça du côté inoccupé de la table et y déposa le sac.

Suzie fronça les sourcils en regardant le sac, puis Odile. Patrice, lui, semblait curieux.

— Navrée de vous déranger, dit Odile. Je serai brève. Madame Toupin m'a donné quelques-unes des affaires d'Olivier. Elle veut que ses amis les gardent, mais elle était incapable de les distribuer elle-même. Alors elle m'a demandé de m'en charger. Me voici donc.

— Pourquoi s'est-elle adressée à toi ? demanda Suzie.

Odile haussa les épaules.

— Je suppose que c'est parce que nous sommes voisins. Étions voisins. Et amis.

Qu'est-ce que ça pouvait bien faire ?

Ni l'un ni l'autre ne firent un mouvement pour regarder dans le sac ; alors Odile leur dit ce qui s'y trouvait.

— Il y a aussi une vidéocassette, mais je la garde, du moins pour l'instant.

— Tu l'as regardée? demanda Patrice.

Il entoura Suzie de son bras en resserrant les doigts sur son épaule.

Odile lui décrivit ce qu'elle avait vu jusqu'alors.

— Je ne l'ai pas encore toute regardée, mais le reste de la cassette n'est probablement pas bien différent du début. Je vous la prêterai un de ces jours, si ça vous intéresse.

— Non, merci, dit Suzie. Ce serait trop horrible.

— On n'y voit pas Olivier, lui rappela Odile. C'est lui qui filme.

— Je le sais.

Suzie regarda Odile en plissant ses yeux bleus.

— N'empêche que ça me rappellerait des souvenirs. Ce n'est pas comme un disque compact ou un magazine de bandes dessinées. Je suis étonnée que tu n'aies rien éprouvé en regardant ce film. Je me demande comment tu peux supporter de le visionner.

Super. Odile avait maintenant le sentiment d'être froide et indifférente, bien qu'elle ne le fût pas.

— On ne réagit pas tous de la même façon, dit-elle rapidement.

Elle retira du sac une boîte de cartes de baseball.

— Patrice? Est-ce que tu les veux?

Patrice secoua la tête.

— Je vais prendre les magazines de bandes dessinées, cependant.

Suzie haussa les sourcils.

— Tu en lis toujours ?

Le visage rond de Patrice rougit légèrement.

— Parfois, admit-il. J'en ai beaucoup, car j'en faisais la collection.

Suzie s'étrangla de rire. En fait, Odile eut pitié de Patrice.

— Je ne sais pas s'il s'agit de numéros récents, dit-elle en lui tendant la pile de magazines.

— Ça n'a pas d'importance.

Patrice posa les deux mains sur les magazines, comme s'il voulait les cacher.

Odile lui sourit. Il n'était peut-être pas aussi bête qu'elle l'avait cru.

— Suzie ? dit-elle.

— Non, merci.

Elle s'empara de son contenant de yogourt.

— Je sais que c'était l'idée de madame Toupin, mais je ne veux rien. Ça me donne la chair de poule.

Suzie avala une cuillerée de yogourt et se blottit contre Patrice.

Odile saisit le sac et s'éloigna.

Lorsqu'elle passa à côté de François, celui-ci était penché sur ses notes et ne leva pas les yeux.

Pourtant, tandis qu'elle traversait la cafétéria, Odile sentit un regard posé sur elle. Quelqu'un l'observait.

Chapitre 3

Le ballon de basket était destiné à Charles Martineau. Charles et Olivier avaient joué au basket ensemble durant quelque temps. Olivier lui manquait sûrement.

Odile n'était pas certaine que Charles voudrait le ballon, mais peut-être apprécierait-il son offre. Elle avait très hâte de lui parler.

Il fallait d'abord qu'elle le trouve, cependant. Lorsqu'elle le repéra enfin, les cours étaient terminés. Elle avait remis le reste des disques compacts à David Truchon. Olivier et lui avaient été bons amis. Elle avait également donné les affiches qu'il restait à Lilianne Baudet, avec qui Olivier était sorti à quelques reprises. Bien que leur histoire d'amour eût été plutôt brève, Lilianne la remercia, sincèrement reconnaissante.

Il ne restait plus que les cartes de baseball et le ballon de basket.

Odile avait presque atteint la porte d'entrée principale lorsqu'elle aperçut Charles devant elle. Il était seul et marchait d'un pas rapide. Elle courut pour le rejoindre ; le sac en papier dans lequel se trouvait le ballon donnait bruyamment contre sa jambe.

Charles tourna la tête en raison du bruit et Odile lui sourit, un peu nerveuse de se retrouver seule avec lui.

— C'était une idée stupide de tout apporter ici, dit-elle en ralentissant l'allure. Si j'avais réfléchi, j'aurais d'abord demandé aux intéressés ce qu'ils voulaient avoir.

Charles s'immobilisa et sourit à son tour. C'était un sourire timide, hésitant.

— Tu ne comprends rien à ce que je raconte, n'est-ce pas ? dit Odile.

Ses yeux étaient gris, remarqua-t-elle. Pourtant, elle ne les avait qu'entrevus ; il regardait maintenant sa montre.

— Tu es pressé ?

— Je m'en vais travailler, répondit-il. Mais j'ai encore quelques minutes.

— Où travailles-tu ? Oh ! laisse tomber, s'empressa d'ajouter Odile, mal à l'aise de gâcher leur première véritable conversation. Je vais en venir au fait.

Charles attendait, un sourcil haussé.

— Madame Toupin voulait que les amis d'Olivier se partagent ses affaires, commença Odile.

Elle lui décrivit ce que la mère d'Olivier lui avait remis et lui dit ce qu'elle avait gardé ou distribué.

— Il reste les cartes de baseball et le ballon de basket. Je ne sais pas pourquoi, mais personne ne semble vouloir des cartes. Tu peux les prendre, si tu veux. Mais j'avais pensé que tu aimerais garder le ballon.

— Pourquoi ?

— Eh bien, parce que vous avez beaucoup joué ensemble, dit Odile. J'habite la maison voisine de celle des Toupin et je n'ai pu m'empêcher de te voir, alors j'ai cru…

Elle s'interrompit.

— Écoute, tu es pressé. Est-ce que tu le veux ?

Charles saisit le sac et en sortit le ballon.

— Olivier n'était pas très bon au basket, dit-il en tenant le ballon d'une main. Moi non plus, de toute façon. Alors nous nous amusions.

Il fit rebondir le ballon à ses pieds à quelques reprises.

— Olivier me parlait de toi quelquefois.

Odile sentit son visage s'enflammer.

— C'est vrai ?

Charles fit un signe affirmatif.

— Il m'a dit que c'était amusant de te faire marcher.

— Olivier aimait faire marcher tout le monde.

— Oui. Il m'a raconté qu'il t'avait filmée à ton insu à quelques occasions, continua Charles.

— J'ai regardé sa cassette hier soir, mais je ne me suis pas vue dans des situations embarrassantes. Bien sûr, je ne l'ai pas encore toute regardée.

Elle fit une pause, convaincue qu'elle était maintenant rouge comme un homard.

— Eh bien ! Quelles sont ces affreuses séquences qui me mettent en vedette et que je devrai effacer dès que je rentrerai chez moi ?

Charles rit. Odile se rendit compte que c'était la première fois qu'elle le voyait rire. Elle l'avait entendu chez Olivier, mais ne l'avait jamais vu. Cela faisait une grosse différence. Son regard, de la couleur d'un ciel pluvieux, paraissait beaucoup plus amical.

— Oh! je comprends, dit-elle. Olivier t'a dit qu'il était facile de me faire marcher et tu as décidé d'essayer.

— Il avait raison.

— Il ne m'a pas filmée dans des circonstances embarrassantes, alors?

— On ne sait jamais... dit Charles avec un sourire espiègle. Tu voudras peut-être détruire la cassette de toute façon, au cas où...

Odile lui sourit à son tour.

— Bon, disons qu'il avait raison. Dis-moi, est-ce que tu veux le ballon de basket?

— Bien sûr.

Charles l'enfouit sous son bras et ils se dirigèrent vers la porte.

— Merci d'avoir pensé à moi, Odile.

À l'extérieur, il pleuvait à torrents. Odile posa ses affaires par terre et mit son capuchon. Mais il était trop tard : ses cheveux étaient déjà trempés.

Lorsqu'elle eut ramassé son sac, Charles avait déjà dévalé l'escalier et traversait la rue. Il était nu-tête et ses cheveux blond foncé étaient plaqués sur son crâne. Malgré tout, il ne courait pas. Il marchait d'un pas régulier, le ballon d'Olivier toujours sous le bras.

Odile l'observa un moment. Il s'était montré un peu plus chaleureux durant quelques instants, mais avait pris soin de garder ses distances. Comme s'il avait quelque chose à cacher. Se trompait-elle?

C'était stupide de se poser des questions. Tout le monde avait des secrets.

Sauf peut-être Olivier.

Quand Odile arriva chez elle, la pluie avait diminué. Elle savait néanmoins que ce n'était que le calme avant la tempête. Le vent se levait et amenait des nuages sombres et menaçants. Au moment où Odile fermait la porte derrière elle, un violent coup de tonnerre la fit sursauter.

La maison était obscure et pleine d'ombres. Les parents d'Odile ne rentreraient pas avant au moins deux heures encore. Tout en traversant le vestibule, le salon et la cuisine, Odile alluma deux lampes. Elle écarta toutefois les rideaux et leva les stores afin de pouvoir observer l'orage. Elle aimait ce temps.

De plus, c'était vendredi. Elle avait des devoirs à faire, mais cela pouvait attendre à plus tard ou au lendemain.

Tiré de son sommeil, Horace s'amena dans la cuisine à pas feutrés et frôla les jambes d'Odile, comme il le faisait toujours quand il avait faim. Mais un autre coup de tonnerre lui fit prendre la fuite. Odile savait qu'il resterait sous son lit jusqu'à la fin de l'orage.

Odile fouillait dans le réfrigérateur lorsque le tonnerre résonna encore une fois. Les lumières vacillèrent, mais ne s'éteignirent pas. Odile aimait les orages, sauf quand il y avait une panne d'électricité.

Sa mère avait collé une note sur la porte du four à micro-ondes : *Décongèle des cuisses de poulet.* Odile les retira du congélateur, les mit dans le four et appuya sur les boutons.

Elle se servit ensuite une boisson gazeuse, grignota un restant de maïs soufflé et marcha jusqu'à sa chambre.

Elle se retourna en entendant un crépitement aigu contre la fenêtre. Des gouttes de pluie poussées par le vent frappaient bruyamment la vitre, telles des balles de fusil.

À côté, la maison d'Olivier était sombre ; les stores étaient baissés et les rideaux, fermés. En se rappelant qu'elle avait cru apercevoir une lumière la veille, Odile sourit. Elle ne la verrait plus. Elle avait réglé bien des choses aujourd'hui.

Odile se déshabilla et enfila un pantalon et un chandail molletonnés. Elle se dirigeait vers le salon lorsque les lumières faiblirent de nouveau. Cette fois, elles s'éteignirent.

«Des bougies», pensa Odile. Il fallait qu'elle les trouve avant qu'il fasse encore plus noir.

Il y en avait une dans un des tiroirs de la cuisine, mais elle était tordue et à moitié brûlée. Il devait bien y en avoir d'autres ailleurs.

Dans le garage ! se rappela soudain Odile. Il y avait deux portes dans la cuisine. L'une s'ouvrait sur la cour arrière et l'autre donnait sur le garage. Odile ouvrit la porte du garage, descendit deux marches et repéra la boîte de bougies sur une tablette au-dessus de la table de travail. Elle s'étirait pour l'atteindre quand le téléphone sonna.

Ses doigts s'étant déjà refermés sur la boîte, Odile tira d'un coup sec. Au moment où la sonnerie du téléphone résonnait pour la deuxième fois, la boîte tomba et douze bougies blanches roulèrent sur la table, puis sur le sol en béton. Odile en cassa au moins trois en retournant dans la cuisine.

Le téléphone sonna une troisième fois.

Odile courut vers l'autre extrémité de la cuisine, mais elle glissa et se cogna la hanche contre la table. La sonnerie du téléphone résonna de nouveau.

— J'arrive, j'arrive.

Odile atteignit enfin l'appareil et décrocha en se frottant la hanche de l'autre main.

Clic.

On avait raccroché.

Odile raccrocha à son tour et retourna dans le garage pour ramasser les bougies. Elle jeta celles qu'elle avait brisées et apporta les autres dans la maison.

Une fois dans sa chambre, elle alluma deux bougies et en posa une sur sa table de chevet, puis une autre sur son bureau. Les flammes jetaient des ombres sur les murs et Odile eut l'impression de se trouver dans une caverne. C'était encore plus sinistre que d'être plongée dans la noirceur complète.

À l'instant où Odile soufflait la première bougie, le téléphone sonna. Elle aurait mieux fait de rester dans la cuisine.

Après avoir éteint l'autre bougie, Odile sortit de sa chambre et traversa le couloir.

Lorsqu'elle entra dans la cuisine, la sonnerie du téléphone retentit une deuxième fois. Odile répondit sans tarder.

— Allô ?

Silence.

— Allô ?

Odile haussa légèrement le ton. Il s'agissait peut-être d'une mauvaise communication.

Le silence persistait.

Il n'y avait pas de friture sur la ligne. La communication était bonne.

Odile ouvrit la bouche pour dire « allô » une troisième fois, mais s'arrêta soudain et prêta l'oreille.

Il y avait quelqu'un à l'autre bout du fil. Elle le sentait. Ce silence n'était pas vide. On attendait, on espérait qu'elle parle.

La cuisine était maintenant plus sombre. Le vent soufflait à l'extérieur et projetait violemment la pluie contre la maison.

Odile frissonna. Elle aurait voulu que les lumières se rallument.

C'était probablement une plaisanterie. Ou encore un voleur qui voulait vérifier s'il y avait quelqu'un à la maison. D'une façon ou d'une autre, elle n'était pas en danger.

Mais seulement pour être certaine que ce n'était réellement pas une mauvaise communication, Odile dit « allô » de nouveau.

Un soupir se fit entendre à l'autre bout de la ligne et rompit le silence.

Chapitre 4

Odile était certaine de n'avoir rien imaginé. Elle avait entendu un souffle, comme un soupir.

Quelqu'un était au bout du fil et attendait.

« Tu gagnes », pensa Odile et elle s'apprêtait à raccrocher lorsque... clic !

On avait coupé la ligne.

Cinq minutes plus tard, après qu'Odile se fut assurée que les portes étaient verrouillées, le courant fut rétabli. Odile entendit le four à micro-ondes se remettre en marche dans la cuisine et le réfrigérateur recommencer à bourdonner.

Puis, le téléphone sonna.

Odile se sentait mieux maintenant que les lumières étaient allumées. Elle se rua sur l'appareil, prête à injurier la personne qui l'appelait. C'était probablement ce que souhaitait son interlocuteur, mais elle s'en moquait. Elle était furieuse. Le soupir l'avait effrayée et elle avait envie de crier.

En s'emparant du récepteur, Odile prit une grande inspiration.

— Écoutez, si vous n'arrêtez pas immédiatement,

j'appelle la police, commença-t-elle avec colère. Je suis à la maison, alors vous ne pouvez pas venir voler. Et s'il s'agit d'une plaisanterie, vous feriez mieux d'y mettre fin. Sinon, la prochaine personne à qui vous téléphonerez sera votre avocat. C'est compris?

— C'est compris, répondit une voix.

La voix de Charles. Charles Martineau.

Odile se mit à rire, mais s'interrompit soudain.

— Est-ce que c'était toi? demanda-t-elle.

— Euh... fit Charles. Quand?

— Maintenant, dit Odile. Je veux dire... il y a quelques minutes.

Elle s'adossa au réfrigérateur.

— Je veux savoir si c'est toi qui m'as appelée tout à l'heure.

— Non, mais je crois comprendre que quelqu'un l'a fait, fit remarquer Charles.

— Ouais.

Odile rit.

— Je suis désolée. Il y a eu une panne d'électricité et j'ai reçu deux appels. La personne au bout du fil n'a pas parlé, mais a soupiré dans le micro. Ça m'a un peu effrayée.

— Ça donne la chair de poule, approuva Charles. Tu m'as vraiment passé un savon. Dommage que ça n'ait pas été la même personne que tout à l'heure.

— Je préfère que ce soit toi, dit Odile. Maintenant, la ligne est occupée, alors on ne peut pas me joindre.

— Nous avons également eu une panne qui a duré quelques minutes à l'entrepôt, dit Charles.

— À l'entrepôt?

— Là où je travaille, expliqua-t-il. Trois jours par semaine, après l'école, j'expédie des boîtes de meubles à assembler. En fait, je m'occupe surtout de les déplacer d'un endroit à l'autre.

— Tu fais des économies en vue de poursuivre tes études ? demanda Odile.

— En partie. Mais j'aide aussi ma mère, dit-il. Mon père n'est plus là et les factures s'accumulent.

— Plus là ? répéta Odile. Tu veux dire qu'il est…

— Mort ? Non. Il est parti, tout simplement.

— Oh ! C'est triste.

« C'est idiot de dire ça », pensa Odile. Peut-être que ce n'était pas triste du tout. Son père était peut-être un salaud. Elle s'éclaircit la voix.

— Bien…

— Tu te demandes pourquoi je t'appelle, n'est-ce pas ? dit Charles. Parce que j'ai oublié de te dire quelque chose qu'Olivier m'a raconté à ton sujet.

— Oh ! super ! Je parie qu'il t'a parlé de mon peignoir, c'est ça ? demanda Odile. Il t'a dit que j'avais l'air d'une montgolfière quand je le portais ?

— Non. C'est vrai ?

Odile rit de nouveau.

— Je préfère ne pas répondre. Dis-moi seulement ce qu'il t'a raconté.

— Il prétendait que, si je t'invitais à sortir, tu accepterais.

Elle n'aurait peut-être pas dû être surprise. Après tout, il ne lui avait jamais téléphoné auparavant et n'était pas du genre à appeler sans raison. Pourtant, elle *était* surprise. Et excitée.

— Odile, tu es là? demanda Charles.

— Je suis là, répondit-elle en se redressant. Tu m'invites à sortir, si j'ai bien compris?

— Exactement.

— Bon. Oui, d'accord, dit Odile. J'en serais ravie.

— Parfait. Olivier avait raison.

Charles fit une pause et Odile put presque l'entendre sourire.

— Demain soir, ça irait? demanda-t-il.

— Bien sûr.

Odile pensait déjà à ce qu'elle allait porter.

— À quelle heure? Et où?

— J'irai te chercher vers dix-huit heures trente. On pourrait aller au cinéma, puis casser la croûte.

— Bonne idée, dit Odile. Mes parents ne seront pas contents, eux. Ils seront déjà partis à une soirée et ne pourront pas faire ta connaissance.

— Ils ne pourront pas m'examiner, tu veux dire. Odile rit.

— Oui, c'est exactement ce que je veux dire.

— Une autre fois, peut-être, dit Charles.

— Bien sûr.

« J'espère qu'il y aura une autre fois», se dit Odile.

— À demain, alors.

— À demain. Odile?

— Oui?

— Si tu reçois d'autres appels, dit Charles, ne mentionne pas que tu es seule.

— Comment sais-tu que je suis seule? demanda Odile.

— Tu me l'as dit, répondit Charles. Tu as dit: «Je

suis à la maison, alors vous ne pouvez pas venir voler. » La prochaine fois, dis plutôt : « Nous sommes là. » Ou n'ajoute rien du tout et raccroche.

— D'accord, dit-elle. À bientôt.

Lorsque le téléphone sonna de nouveau, la mère d'Odile était rentrée et l'orage, terminé. Le chat était réapparu et sorti, la queue haute, comme s'il n'avait pas passé l'heure précédente caché sous le lit, terrifié.

C'était Isabelle qui appelait pour demander à Odile de l'accompagner à la bibliothèque le lendemain soir.

— Je ne peux pas y aller durant la journée, mais j'ai un travail à remettre. J'ai besoin de quelqu'un pour m'aider à endurer ce supplice.

— Je ne peux pas y aller, répondit Odile. J'ai un rendez-vous.

Ce n'était pas la première fois qu'Odile sortait avec un garçon, mais Isabelle poussa quand même un cri aigu.

— Sans blague ! Avec qui ?

— Charles Martineau, répondit Odile en savourant chaque syllabe.

— Non ! C'est vrai ?

— C'est vrai, dit Odile. Il m'a appelée tout à l'heure. Hé ! ajouta-t-elle. Tu ne m'as pas téléphoné plus tôt, n'est-ce pas ? J'ai reçu deux appels d'un plaisantin qui s'amusait à soupirer dans l'appareil.

— Pourquoi est-ce que je ferais ça ? demanda Isabelle.

— Ce n'est pas ce que j'ai voulu dire, dit Odile en riant. Je pensais plutôt qu'il aurait pu s'agir d'une mauvaise communication et que j'avais imaginé entendre des soupirs.

— Non, ce n'est pas moi qui t'ai appelée, répondit Isabelle. Bon, j'espère que tu passeras une belle soirée demain.

— Moi aussi, dit Odile. Je me demande comment il est. Il est très séduisant, mais il y a quelque chose de… mystérieux chez lui.

Isabelle rit.

— Eh bien ! tu le sauras très bientôt.

Charles n'avait rien d'un garçon froid. Non pas qu'il se montrât entreprenant, mais il était volubile, amusant et amical. Odile se souvenait pourtant de son attitude avant qu'il lui téléphone, la veille.

Qu'est-ce qui l'avait fait changer ? Ou était-ce elle qui ne lui avait tout simplement pas laissé de chance ?

Après le film — une comédie —, ils se rendirent dans un petit restaurant de la rue Principale.

— Je vais prendre un hamburger au fromage, annonça Odile au moment où ils se glissaient sur une banquette. Et je vais le payer.

Charles rit.

— Ne te laisse pas impressionner par ce que je t'ai dit à propos de mon père. Nous ne sommes pas dans la misère.

— Je sais, dit Odile en enlevant son blouson et en le posant à côté d'elle. Je veux payer, c'est tout.

— Très bien, je ne discute pas.

Charles rit encore une fois.

— Olivier m'avait prévenu que tu étais têtue.

Odile s'accouda à la table, le menton dans les mains.

— Pourquoi ne pas tout me dire ce qu'il t'a raconté à mon sujet ? suggéra-t-elle. Qu'on en finisse ! Ainsi, je n'aurai plus besoin de m'en faire.

Charles sourit et secoua la tête.

— Je te taquine, dit-il. Je t'ai tout dit.

Odile ne le croyait pas vraiment, mais elle décida de laisser tomber. Quand ils eurent commandé, elle lui demanda d'où il venait et s'il aimait sa nouvelle ville.

La famille Martineau était arrivée de Saint-Maurice, ville située à une centaine de kilomètres de Mont-Rouge.

— Ma mère travaille pour une importante entreprise d'électronique et elle a été mutée au siège social situé à une dizaine de kilomètres d'ici.

Le serveur leur apporta leurs colas et Charles en prit une gorgée.

— Ça me plaît ici, continua-t-il. De toute manière, j'irai au cégep dans une autre ville l'an prochain, alors ce ne serait pas bien grave que je n'aime pas ça ici. C'est plus difficile pour mon frère. Il est en première secondaire et parle toujours de rentrer à la maison.

— Est-ce qu'il aime les cartes de baseball ? demanda Odile. J'ai toujours celles d'Olivier.

— Il n'y a rien qui l'amuse actuellement. Quand

il aura retrouvé sa bonne humeur, je lui demanderai s'il les veut.

À cet instant, Odile vit entrer Suzie et Patrice.

Tandis qu'ils se dirigeaient vers le fond du restaurant, Suzie aperçut Odile. Elle s'arrêta si brusquement que Patrice, qui la suivait, se cogna contre elle.

Odile la salua de la main et, durant quelques secondes, crut que Suzie allait venir leur parler. Elle paraissait sur le point de dire quelque chose. Quelque chose de pas très gentil.

Le regard de Suzie se posa sur Odile, puis sur Charles et de nouveau sur Odile. Elle haussa un sourcil, lui fit un signe de la main et continua à marcher.

— C'est une de tes amies ? demanda Charles d'un ton amusé.

Odile hocha la tête.

— Patrice et elle étaient très proches d'Olivier, bien que je n'aie toujours pas compris pourquoi. Olivier était très ouvert et extraverti, alors qu'ils ne le sont pas du tout. Du moins, pas Suzie.

— Olivier était un gars super, approuva Charles. On aurait dit qu'il s'entendait bien avec tout le monde.

Odile réfléchit durant un moment. Avait-elle déjà vu Olivier se disputer avec quelqu'un ? L'avait-elle déjà entendu critiquer quelqu'un, sauf en plaisantant ? Elle ne s'en souvenait pas.

Le garçon leur apporta leurs hamburgers et ils demeurèrent silencieux durant quelques minutes. Odile venait de prendre une grosse bouchée dans son hamburger quand Charles vint interrompre ses pensées.

— Écoute, je suis très mal à l'aise, mais je dois partir.

— Partir? répéta Odile. Pourquoi? Qu'est-ce qui ne va pas?

— Rien. Reste ici et je reviens tout de suite, dit Charles en se levant. Ma mère a réussi à convaincre mon frère d'aller à une soirée «mystère» à l'école. Je l'ai déposé là-bas avant d'aller te chercher.

Il sourit.

— Nous n'avons qu'une seule voiture, alors nous avons conclu un marché: je dois aller le chercher et le reconduire à la maison. Je suis désolé. Je n'en ai que pour quinze minutes.

— Je peux t'accompagner si tu veux, proposa Odile.

— Non, mange ton hamburger, dit Charles en enfilant son blouson.

Il se pencha et repoussa une mèche de cheveux du front d'Odile.

— Nous n'avons pas encore fini de bavarder. Reste ici et mange. Je n'en ai pas pour longtemps.

Charles sortit rapidement; en trois enjambées, il avait atteint la porte. Odile s'appuya contre la banquette et mordit dans son hamburger. Bien qu'elle comprît pourquoi il devait partir, cela l'ennuyait.

— Écoute, dit une voix non loin d'elle. Tu m'as dit que tu t'en chargerais.

C'était la voix de Suzie. Elle semblait furieuse et… effrayée, peut-être?

Odile se retourna. Suzie était au téléphone, l'air très en colère.

— Tu me l'as promis, dit Suzie. Si ça ne marche pas, je trouverai autre chose. Mais essaie !

Suzie raccrocha brutalement. Odile se retourna et saisit son hamburger.

Quelques secondes plus tard, une ombre se dessina sur la table d'Odile.

— J'ai vu ton copain partir, dit Suzie. Que s'est-il passé ?

Odile dut admettre que c'était ce qui l'agaçait le plus : elle ne voulait surtout pas qu'on croie que Charles l'avait plantée là.

— Il est allé reconduire son jeune frère à la maison, dit-elle.

Suzie parut sceptique, mais Odile, à présent, se moquait bien de ce qu'elle pouvait penser.

— Tu veux venir t'asseoir avec nous ? demanda Suzie en jetant un coup d'œil à sa montre.

— Merci, Suzie, mais Charles sera bientôt de retour.

— Alors pourquoi ne viens-tu pas bavarder avec nous jusqu'à ce qu'il revienne ?

Suzie regarda sa montre encore une fois.

— Qu'est-ce que tu fais ? lui demanda Odile en riant. Tu calcules le temps que ça lui prendra ?

Suzie se mordilla la lèvre.

— J'ai cru que tu aimerais avoir de la compagnie, c'est tout.

Elle se dandina d'une jambe sur l'autre et balaya le restaurant des yeux. Son regard se posa sur une grosse horloge au-dessus du comptoir.

Il était vingt et une heures dix. Charles serait de retour dans quelques minutes, se dit Odile.

Lorsqu'elle détourna la tête, Odile s'aperçut que Suzie la dévisageait en pinçant les lèvres.

Qu'est-ce qui la rendait aussi impatiente?

Mais était-ce réellement de l'impatience? Suzie ne semblait pas ennuyée.

Elle avait l'air terrifiée.

Chapitre 5

Charles revint à vingt et une heures vingt-cinq.

Suzie avait quitté la table d'Odile et rejoint Patrice.

Odile lui avait demandé ce qui n'allait pas, mais Suzie avait paru étonnée et ennuyée. Tout allait bien, avait-elle prétendu. Qu'est-ce qui faisait croire à Odile qu'elle avait un problème ?

Odile avait décidé de ne pas insister. Elle savait que quelque chose n'allait pas. Mais, de toute évidence, Suzie n'avait pas envie d'en parler ; pas à Odile, du moins.

En attendant, Odile finit son hamburger et but son verre de cola, puis en tripota la paille. Elle commençait à se sentir mal à l'aise quand Charles apparut. Les joues rouges, il s'assit sur la banquette en face d'elle et lui prit la main.

— Je suis désolé, dit-il. Ç'a été plus long que prévu.

Il était un peu essoufflé, comme s'il avait couru.

— Ce n'est pas grave, dit Odile.

Son mécontentement disparut quand elle se

rendit compte à quel point elle était heureuse de le voir. De plus, elle était ravie qu'il lui ait pris la main.

— S'est-il bien amusé?

— Hein? Oh! Maxime.

Charles lâcha sa main et s'empara de son hamburger, puis le posa sans en avoir pris une bouchée. Ses yeux étaient gris foncé. Il avait l'air préoccupé. Ou peut-être était-il seulement contrarié parce que son hamburger avait refroidi.

— Probablement, quoiqu'il n'ait pas voulu l'admettre.

Maxime semblait être une véritable petite peste, mais Odile décida de ne pas faire de commentaire. Elle proposa à Charles de partager une portion de frites avec elle et il accepta. Quand le serveur les apporta, Charles engloutit sa part rapidement, comme s'il avait un rendez-vous.

Quelque chose avait changé. Il avait dit qu'il voulait revenir pour continuer à bavarder avec elle, mais c'était surtout Odile qui parlait. Charles se contentait d'écouter.

Mais écoutait-il vraiment? Il regardait constamment sa montre, comme Suzie.

Qu'est-ce qui se passait donc? Tout le monde agissait comme si le temps pressait.

Odile en eut bientôt assez. Elle s'interrompit au beau milieu d'une phrase.

— J'ai envoyé une demande d'admission à cinq collèges, mais seulement... dit-elle, puis elle se tut.

Charles ne s'en aperçut même pas.

— Hé ! dit Odile d'une voix aiguë.

Il leva soudain les yeux.

— Navré, que disais-tu ?

— Je disais qu'il est temps de rentrer.

Odile fit une boulette de sa serviette en papier et la jeta sur la table.

— Tu n'es pas de mon avis ?

Charles jeta un coup d'œil à sa montre pour la dixième fois.

— J'ai un couvre-feu, dit Odile.

— Vingt-deux heures ?

— C'est à peu près ça.

Ce n'était pas la vérité, mais Odile voulait rentrer. Elle laissa de l'argent sur la table, se leva et mit son blouson.

Charles se tenait debout et la regardait. Il avait l'air déçu. Néanmoins, il ne protesta pas.

Le trajet de retour se fit rapidement. Odile habitait à cinq minutes du restaurant.

Ce fut une balade plutôt silencieuse. Charles parla à quelques reprises et Odile répondit, mais ne fit aucun effort pour alimenter la conversation. Elle n'était pas véritablement en colère, mais plutôt troublée.

Pourquoi l'attitude de Charles était-elle aussi différente à son retour ? S'était-il disputé avec son frère ? Avec sa mère ? Et pourquoi ne pas l'avoir dit, tout simplement, au lieu de rester muet comme une carpe ?

Elle aurait probablement dû lui poser la question, mais elle ne le fit pas. Elle était peut-être plus furieuse qu'elle le pensait.

La lumière sous le porche était allumée chez Odile, mais la voiture de son père n'était pas là. Odile s'en aperçut parce que la porte du garage était demeurée ouverte et qu'il n'y avait que l'auto de sa mère à l'intérieur. Odile sourit.

— Qu'est-ce qu'il y a ? demanda Charles en voyant son expression.

— Je pensais à toutes les fois où mes parents m'ont répété de fermer la porte du garage, dit-elle. Ce sont eux qui ne l'ont pas fait cette fois.

— N'oublie pas de le leur faire remarquer.

— Ne t'inquiète pas, je le ferai.

Odile ouvrit la portière et était sur le point de descendre quand Charles posa sa main sur son bras.

— Odile, dit-il. Est-ce qu'on pourra se reprendre une autre fois ?

Il lui lâcha le bras.

— Je promets de ne pas partir en plein cœur de la soirée.

— Ça ne me dérange pas que tu partes, dit Odile, pourvu que tu ne reviennes pas renfrogné.

— D'accord, marché conclu.

De nouveau, Charles repoussa une mèche de cheveux du visage d'Odile.

— Je te raccompagne jusqu'à la porte.

— Merci.

Bon. Il ne voulait pas parler de ce qui s'était passé quand il était parti. Elle lui avait donné l'occasion de se confier, mais il ne l'avait pas saisie.

Ils se souhaitèrent bonne nuit sur le seuil de la porte et Charles remonta dans la voiture. Odile l'entendit reculer tandis qu'elle ouvrait la porte. Horace sortit de la maison à toute allure, l'air indigné d'avoir été enfermé aussi longtemps.

Odile enleva son blouson et entra dans la cuisine. Elle se versa un verre de jus et en avalait une longue gorgée lorsque la lumière rouge du répondeur attira son attention. Il y avait deux messages.

En appuyant sur le bouton, Odile but une autre gorgée et attendit.

L'appareil ronronna et émit un signal sonore. Puis il y eut un clic. La première personne qui avait téléphoné avait raccroché.

Odile prêta l'oreille pour écouter le deuxième message.

Clic ! On avait également raccroché.

Lentement, Odile posa son verre sur le comptoir.

Elle se souvint des appels qu'elle avait reçus le jour précédent.

Elle songea à la porte du garage. Elle n'arrivait même pas à se rappeler la dernière fois où ses parents l'avaient laissée ouverte.

Odile vérifia les deux portes de la cuisine. Elles étaient verrouillées.

Mais cela ne voulait rien dire. Si un voleur était entré par la porte, il avait très bien pu sortir par là et la verrouiller derrière lui.

Devait-elle faire le tour de la maison ou se réfugier chez un voisin jusqu'à l'arrivée de ses parents ?

Paniquait-elle pour rien ?

Si un voleur se trouvait dans la maison, il essaierait d'en sortir, n'est-ce pas ?

Odile tendit l'oreille. Elle n'entendit que les battements affolés de son cœur.

— Bon, dit-elle tout haut.

Sa voix était chevrotante et ses genoux, tremblants, mais elle sortit de la cuisine en faisant autant de bruit que possible et se précipita dans le vestibule.

Le chat entra d'un pas nonchalant lorsqu'elle ouvrit la porte. Odile fit un geste pour le saisir, mais il courut dans la chambre d'Odile.

Un vent froid s'était levé, remarqua Odile en sortant sous le porche. Elle garda une main sur la poignée de porte, ne sachant pas très bien ce qu'elle allait faire.

Frissonnante, Odile vit des phares balayer le coin de rue au bout du pâté de maisons. La voiture réduisit sa vitesse en approchant de la maison.

Le rythme cardiaque d'Odile ralentit également. C'était ses parents.

— Tu es déjà rentrée ! dit sa mère en descendant de la voiture. Tu as passé une belle soirée ?

— Oui.

Odile avait toujours une main sur la poignée de porte.

— Pourquoi restes-tu dehors par ce froid ? demanda madame Mousseau en fronçant les sourcils.

— J'ai eu peur, répondit Odile. On a appelé deux fois sans laisser de messages et la porte du garage était ouverte. Je craignais qu'un malfaiteur ait téléphoné pour s'assurer qu'il n'y avait personne avant de s'introduire dans la maison.

Sa mère ouvrit la porte d'une poussée et jeta un

coup d'œil à l'intérieur par-dessus l'épaule d'Odile.

— Avant que tu t'inquiètes davantage, demandons à ton père s'il a laissé la porte du garage ouverte, dit-elle.

Monsieur Mousseau affirma avoir bel et bien fermé la porte du garage. N'empêche que, en voyant sa fille aussi secouée, il l'aida à inspecter toutes les pièces et toutes les garde-robes. Mis à part le chat, personne ne rôdait dans la maison.

— Bien entendu, si quelqu'un volait quoi que ce soit, tu ne t'en apercevrais jamais, fit remarquer monsieur Mousseau en promenant son regard sur la chambre d'Odile. Tu devrais peut-être ranger un peu. Alors tu pourrais savoir s'il manque quelque chose.

— Très amusant, dit Odile. Je sais parfaitement où mes affaires se trouvent.

Malgré tout, lorsque son père sortit de sa chambre, elle s'assura que chaque chose était bien là où elle l'avait laissée. Rien ne semblait avoir été déplacé. De toute façon, elle ne possédait aucun objet de valeur.

Odile enfila son peignoir et alla prendre une douche. Son père avait probablement laissé la porte du garage ouverte et refusait de l'admettre. Les personnes qui avaient téléphoné avaient composé le mauvais numéro ou n'avaient pas voulu laisser de message. Personne ne s'était introduit dans la maison.

Elle avait trop d'imagination, se dit-elle: Olivier était mort; le lendemain, ce serait l'halloween.

Des fantômes hantaient son esprit.

Le lendemain, bien que ce fût l'halloween, les fantômes avaient disparu. Sauf ceux qui s'attroupaient sur le seuil de la porte pour avoir des friandises.

Odile avait passé la majeure partie de l'après-midi à étudier et fit une pause d'une demi-heure pour téléphoner à Isabelle et lui raconter sa soirée avec Charles.

— Qu'est-ce qui lui a pris ? demanda Isabelle après qu'Odile lui eut décrit son changement d'humeur.

— Je crois que c'est la faute de son jeune frère, dit Odile. Maxime — c'est le prénom de cette petite peste — ne voulait pas déménager et il semble mener la vie dure à tout le monde.

— Alors Charles s'est défoulé sur toi ? demanda Isabelle qui paraissait indignée.

— Je n'en suis plus aussi certaine, répondit Odile. Je crois que j'ai dramatisé.

— Oui, peut-être. Il aurait tout de même pu dire quelque chose. Et c'est plutôt bizarre d'abandonner une fille dans un restaurant.

Isabelle fit une pause.

— Venons-en à la partie la plus agréable. T'a-t-il embrassée ?

Odile sourit.

— Désolée. La prochaine fois, peut-être.

— Il ne l'a pas fait ? demanda Isabelle d'une voix perçante. Odile, je crois que c'est un parfait imbécile !

— Eh bien ! je ne l'ai pas embrassé non plus, dit Odile en riant. Est-ce que ça fait de moi une parfaite imbécile ?

— Laisse tomber.

Isabelle soupira.

— Tu sais, j'ai eu une idée à propos de la vidéo-cassette d'Olivier. Je pourrais l'utiliser pour mon travail en audiovisuel. De plus, si je la mettais au point et y ajoutais de la musique, ce serait une bonne idée d'en faire cadeau à ses parents. Est-ce que je pourrais la voir ?

— Bien sûr, mais je veux la visionner au complet d'abord, dit Odile en se rappelant la plaisanterie de Charles qui avait prétendu qu'Olivier l'avait filmée en cachette.

Après avoir raccroché, Odile étudia encore durant quelque temps. Mais à partir de seize heures, elle fut incapable de se concentrer à cause des enfants qui sonnaient sans arrêt.

Odile distribua des bonbons jusqu'à vingt heures environ, puis s'assit dans le salon et inséra la cassette d'Olivier dans le magnétoscope.

Le lavothon, la fête du 24 juin, les séquences tournées dans la rue… Odile les regarda d'un œil distrait. C'était plutôt ennuyeux, mais peut-être qu'Isabelle arriverait à égayer le tout avec de la musique. Il faudrait tout de même qu'elle fasse plusieurs coupures, car certaines scènes traînaient en longueur.

Odile se redressa, les sourcils froncés, en s'efforçant de situer la séquence suivante. La caméra effectuait un panoramique ; plusieurs visages souriants apparurent successivement sur l'écran : Patrice et Suzie, François, David Truchon, Isabelle, Vicky et Diane — deux filles qu'Odile ne connaissait pas très bien.

La caméra s'arrêta sur un cadre et en fit un gros

plan. Il s'agissait d'une photographie de François qui, debout à côté d'une voiture bleue, brandissait des clés en souriant. Il avait reçu l'auto en cadeau l'année précédente.

La fête se déroulait chez François. Odile se rappela qu'il avait organisé une soirée au début du mois de septembre. Elle avait été invitée, mais avait dû rendre visite à sa grand-mère cette journée-là.

D'autres figures défilèrent à l'écran, dont celle de Charles. Odile s'avança sur le bord du fauteuil.

Il était assis près des autres, observait et écoutait, mais sans se joindre à la conversation. Puis il remarqua la caméra et leva la main pour éloigner Olivier.

La caméra s'attarda sur le visage de Charles jusqu'au moment où il se leva et partit. Odile ne pouvait voir que son dos.

L'écran devint noir durant quelques secondes, mais soudain, Charles fit de nouveau face à la caméra. Il paraissait se trouver dans le vestibule. Il y avait une porte derrière lui et personne d'autre qu'Olivier ne semblait être à proximité.

La caméra fit un gros plan de Charles. Normalement, Odile en aurait été ravie ; mais Charles était furieux.

Ses lèvres remuaient ; il parlait, hors de lui. Ses yeux gris étaient sombres, remarqua Odile, comme le jour précédent.

Olivier avait continué à filmer.

Tout à coup, Charles s'avança rapidement vers la caméra, la main levée. Sa paume s'écrasa dans l'objectif et Odile ne vit plus que du noir.

Chapitre 6

Odile s'empara de la télécommande et arrêta la cassette.

Elle se sentait mal à l'aise, comme si elle avait été témoin de quelque chose qu'elle n'aurait pas dû voir.

Qu'était-il arrivé après que Charles eut couvert l'objectif avec sa main ? Avait-il jeté la caméra par terre ? Ou frappé Olivier ? Il avait paru assez en colère pour le faire. Mais pourquoi ?

Elle pouvait regarder ce qui venait après, mais cela ne lui apprendrait rien de plus au sujet de l'altercation entre Olivier et Charles. Elle ne saurait jamais ce qui s'était passé, à moins de le demander, et n'était pas certaine d'avoir envie de le faire. La dispute était chose du passé. Il valait peut-être mieux ne pas chercher à savoir.

Pourtant, Odile était incapable de chasser de son esprit le visage de Charles — ses yeux plissés, ses traits déformés par la fureur tandis qu'il parlait. Qu'avait dit ou fait Olivier pour le mettre dans un état pareil ?

Avait-elle vu Charles jouer au basket avec Olivier après cette soirée ? Elle ne s'en souvenait pas.

Chose certaine, elle dirait à Isabelle de couper cette séquence. Cependant, elle avait le sentiment que *personne* ne devait la voir.

Elle l'effacerait elle-même. C'était facile.

Odile appuya sur la commande de retour rapide, écouta le magnétoscope ronronner, et pressa la commande d'arrêt. La photo de François et de sa voiture apparut sur l'écran. Elle était retournée trop en arrière.

Elle appuya sur la commande d'avance rapide et attendit. L'appareil ronronna durant une seconde ou deux, puis s'arrêta.

Odile pressa la commande de lecture. Rien ne se produisit.

Retour. Rien. Avance rapide. Toujours rien.

Odile se leva et appuya sur les commandes du magnétoscope, mais rien ne fonctionnait. L'appareil était hors d'usage.

Tant mieux. Elle n'avait pas envie de regarder de nouveau cette affreuse séquence. Ni même de l'effacer.

— Je ne vois pas pourquoi tu en fais tout un plat, dit Isabelle le lendemain matin à l'école. Je sais qu'Olivier est mort et il me manque beaucoup, mais vois les choses en face : c'était prévisible que, tôt ou tard, quelqu'un finirait par lui briser sa caméra.

— Je n'ai pas dit qu'il l'avait brisée, corrigea Odile. Je posais simplement une hypothèse.

Finalement, Odile avait décidé de tout raconter à Isabelle.

— Peu importe, dit Isabelle en ouvrant la porte de l'école et en se joignant au flot d'élèves dans le corridor. Olivier agaçait tout le monde avec sa caméra. Charles était probablement de mauvaise humeur ce jour-là et l'insistance d'Olivier n'a fait qu'envenimer les choses.

Odile regarda Isabelle pendant qu'elles marchaient jusqu'à leurs casiers.

— Tu étais à la soirée chez François, lui rappela-t-elle. Charles avait-il l'air mécontent?

Isabelle réfléchit durant quelques secondes, puis haussa les épaules.

— Je ne m'en souviens pas. S'il l'était, je ne m'en suis pas aperçue. Mais il venait d'arriver. Il ne connaissait presque personne.

— Et Olivier? demanda Odile. Quand il est revenu du vestibule, paraissait-il en colère? Olivier est-il parti tôt ou est-il revenu?

Isabelle secoua la tête.

— Odile, je n'ai pas passé la soirée à les observer! Je crois que tu accordes trop d'importance à cet incident.

— Tu as peut-être raison, admit Odile. Je souhaiterais n'avoir jamais vu cette séquence. Ça change tout.

— Tout le monde perd son sang-froid un jour ou l'autre. Ce n'est pas parce qu'Olivier a filmé Charles en colère que celui-ci est un monstre. Il a probablement oublié toute cette histoire.

— Je vais essayer d'en faire autant.

— Bien, dit Isabelle. Donne-moi la cassette et je te montrerai comment effacer la scène au local d'audiovisuel. Ainsi, personne d'autre ne la verra jamais. Et n'en parle pas à Charles, car ton deuxième rendez-vous avec lui pourrait être le dernier.

— D'accord.

Odile rit, mais s'arrêta lorsqu'elle ouvrit la porte de son casier. Trois cahiers et une liasse de feuilles volantes tombèrent à ses pieds.

— Hé !

— Quoi ? demanda Isabelle.

— Tout est sens dessus dessous dans mon casier, répondit Odile en ramassant ses cahiers. Regarde, ajouta-t-elle en s'emparant d'une casquette de base-ball. Elle était pendue au crochet et je l'ai trouvée par terre. Je me demande si quelqu'un a fouillé mon casier.

Elle examina le cadenas.

— Crois-tu qu'on a pu en découvrir la combinaison ?

Les cadenas étaient remis aux élèves au début de l'année scolaire et le secrétariat conservait un registre de toutes les combinaisons.

— Je ne sais pas. Avais-tu de l'argent dans ton casier ?

— Non, répondit Odile. Je me demande si d'autres casiers ont été forcés.

— Allons nous renseigner.

Isabelle saisit le bras d'un garçon qui passait. C'était François.

— Odile est persuadée qu'on a ouvert son casier, expliqua-t-elle. Tu n'as rien remarqué de ton côté?

— Non, dit-il. On t'a volé quelque chose?

— Je ne crois pas. Il n'y a rien qui a beaucoup de valeur là-dedans, dit Odile. Mais là n'est pas la question.

— Tu devrais peut-être aviser le secrétariat, Odile, ajouta François avant de s'éloigner.

— Il a raison, renchérit Isabelle. Et demande un nouveau cadenas.

Odile fit un signe affirmatif.

— C'est ce que je vais faire.

Isabelle la quitta à son tour pour aller à son casier.

Odile ramassa les feuilles sur le sol tout en réfléchissant. Un élève avait-il fouillé de nombreux casiers dans l'espoir de trouver de l'argent?

Ou ne s'agissait-il que de *son* casier?

Non, c'était impossible. Elle ne possédait aucun objet de valeur.

Odile referma la porte de son casier et se dirigea vers sa classe. Lorsqu'elle tourna au bout du couloir, elle se trouva face à face avec Charles.

— Salut, Odile, dit-il en souriant.

Durant une seconde, le visage courroucé de Charles revint à l'esprit d'Odile. Elle cligna des yeux pour le chasser et sourit à son tour.

— Salut.

— Qu'est-ce qui ne va pas? demanda-t-il en marchant à ses côtés. Tu as l'air inquiète. Tu as un examen? Tu n'as pas fait tes devoirs?

Odile s'arrêta. Elle tenta de trouver une excuse, puis se rappela qu'elle en avait une parfaite.

— On a fouillé mon casier.

Ce n'était pas une tragédie et Odile ne s'attendait pas à ce qu'il prenne l'histoire très au sérieux. Pourtant, jamais elle n'aurait cru qu'il réagirait comme il le fit.

Sa mâchoire se contracta, ses yeux s'assombrirent et son visage devint cramoisi.

Toutefois, il n'était pas mal à l'aise. Il était furieux.

Il ne semblait pas aussi en colère que sur la cassette d'Olivier, mais Odile recula quand même d'un pas.

« Fais une plaisanterie, se dit-elle. Ne lui demande pas ce qui ne va pas ; il ne te le dira pas. »

— Mais il y a également une bonne nouvelle, continua-t-elle d'un ton aussi léger que possible. Rien n'a été volé. Bon, je dois aller à mon cours. À tout à l'heure, d'accord ?

Odile lui sourit et s'éloigna.

Néanmoins, elle sentit le regard de Charles dans son dos jusqu'au moment où elle tourna le coin du corridor.

Aucun autre casier n'avait été fouillé. Odile fit sa propre enquête à l'heure du dîner. Elle se rendit ensuite au secrétariat pour rendre son cadenas et en obtenir un autre. L'employée ne savait pas où trouver les formules.

— C'est la première fois que nous devons changer le cadenas d'un élève cette année, expliqua-t-elle en ouvrant le troisième tiroir du classeur. Tu es certaine qu'on a fouillé ton casier?

Odile jeta un coup d'œil impatient vers l'horloge. Si elle ne se dépêchait pas, elle arriverait en retard au cours d'histoire.

— Oui, j'en suis certaine.

— Ah! les voilà, dit la secrétaire en retirant des formulaires d'un tiroir. Remplis-en un et je te donnerai un autre cadenas.

Odile écrivait rapidement lorsqu'elle entendit la porte du secrétariat s'ouvrir.

— Ah! c'est toi, Suzie, dit la secrétaire.

Odile jeta un coup d'œil par-dessus son épaule et aperçut Suzie Godin.

Celle-ci lui adressa un regard curieux en se dirigeant derrière le comptoir.

— Je vais tout de suite changer pour une autre cette cafetière que j'ai achetée hier, dit l'employée à Suzie. Il y a des lettres à taper sur le bureau; tu pourras commencer quand cette jeune fille t'aura remis son formulaire.

Elle enfila son manteau, souleva une grosse boîte posée sur le sol et sortit du bureau à la hâte.

— De quel formulaire s'agit-il? demanda Suzie en s'accoudant au comptoir devant Odile.

— On a ouvert mon casier, répondit Odile en signant. Alors je suis venue chercher un nouveau cadenas.

— On a ouvert ton casier? répéta Suzie. Avec quoi? Des pinces?

Odile secoua la tête.

— Non. On s'est servi de la combinaison.

— Qu'est-ce qu'on t'a volé ?

— Rien.

Odile retira le cadenas de son sac et le déposa sur le comptoir à côté du formulaire.

Suzie disparut dans une petite pièce adjacente durant un moment, puis en ressortit avec un sac en plastique contenant un autre cadenas.

— Tiens, dit-elle en le posant sur le comptoir. La combinaison figure sur ce bout de papier collé au cadenas. Mémorise-la et jette le papier.

— C'est ce que j'ai fait la première fois, dit Odile. Ça ne m'a pas servi à grand-chose. Vous conservez une liste des combinaisons des élèves, n'est-ce pas ?

— Où veux-tu en venir ?

— Je veux dire que…

— Tu veux insinuer que c'est moi — ou une autre employée du secrétariat — qui ai ouvert ton casier ? demanda Suzie froidement. C'est bien ce que tu veux dire ?

Elle saisit le cadenas d'Odile et le formulaire et se détourna. Mais elle se retourna immédiatement.

— Pourquoi voudrais-je quoi que ce soit qui t'appartienne, Odile ? Qu'est-ce qui te fait croire ça ?

— Rien ! dit Odile. Qu'est-ce qui te prend ? J'ai seulement voulu dire…

— Je sais ce que tu as voulu dire, l'interrompit Suzie encore une fois. Tu crois que c'est moi qui ai fait ça. Eh bien, ce n'est pas moi. Si je voulais quelque chose, je ne fouillerais pas ton casier pour l'obtenir. Comment pourrais-je savoir que ce que je cherche s'y trouve ?

— Je ne sais pas de quoi tu parles, Suzie !

Les lèvres pincées, Suzie prit une grande inspiration et expira lentement.

— Très bien, oublie ça.

Encore une fois, elle inspira profondément.

— D'accord ?

— Bien sûr.

Odile s'empara de son cadenas et sortit de peur que Suzie explose de nouveau.

Tandis qu'elle se hâtait vers son cours d'histoire, Odile s'efforça de chasser cet incident de son esprit.

Mais elle en était incapable.

Suzie travaillait au secrétariat une heure par jour durant la période d'étude. Odile l'avait oublié.

Elle pouvait consulter la liste de combinaisons des casiers quand elle le désirait.

Et elle s'était emportée à la suite d'une simple remarque, comme si elle se sentait coupable.

Comme si elle avait quelque chose à cacher.

Chapitre 7

Ce jour-là, Odile n'arriva pas à se concentrer durant le cours d'histoire.

Heureusement, François suivait également ce cours. Il ne manquait jamais un mot de ce que le professeur disait. Comme il avait accepté de lui remettre une copie de ses notes, Odile se dit qu'elle pouvait bien laisser son esprit errer, pour une fois.

De toute façon, il lui était impossible de ne pas le faire. Lorsqu'elle s'assit, Odile songeait toujours à Suzie et à son étrange réaction.

Elle tenta de se convaincre que Suzie était plus susceptible que d'habitude, tout simplement. En fait, cela durait depuis déjà quelques jours. Suzie s'était peut-être disputée avec Patrice. Ou peut-être avait-elle des ennuis à la maison. Si elle avait été dans son état normal, elle aurait compris qu'Odile ne l'avait accusée de rien.

Mais Charles ? Quelle était son excuse ? Pourquoi avait-il paru aussi furieux, assez furieux pour lui faire peur ?

Avait-il des problèmes chez lui ? Avec sa mère ?

Son frère? Peut-être que son père ne leur envoyait pas suffisamment d'argent.

Pourtant, cela n'avait rien à voir avec le casier d'Odile. Et c'est lorsqu'elle lui avait raconté ce qui s'était passé que son expression avait changé.

Le professeur, monsieur Chouinard, faisait les cent pas devant son bureau tout en parlant. Odile s'efforça de prêter attention à son discours; elle se laissait souvent gagner par son enthousiasme.

Mais ses pensées vagabondèrent vers Charles de nouveau.

Elle ne savait pas grand-chose de lui, pensa Odile. Le connaîtrait-elle mieux un jour? En avait-elle envie?

Oui, se dit-elle. Quand il l'avait invitée à sortir, elle s'était sentie euphorique, comme lorsqu'elle terminait un travail ardu ou voyait apparaître le soleil après une semaine de temps nuageux.

Du temps nuageux… elle n'avait connu que cela depuis la mort d'Olivier. Charles, lui, incarnait le soleil.

Elle ne pouvait le repousser seulement parce qu'il s'était emporté pour une raison mystérieuse. Ce n'était pas juste.

De plus, elle avait réellement envie d'apprendre à mieux le connaître.

— Mademoiselle Mousseau, dit une voix qui interrompit ses pensées. J'ai l'impression que vous n'êtes pas montée dans le même train que nous aujourd'hui.

C'était monsieur Chouinard. Odile sentit son

visage s'empourprer lorsque quelques élèves souri-
rent.

Le professeur s'appuya sur le pupitre d'Odile.
Son regard était amical.

— Vous vous sentez bien ?

Mieux valait dire la vérité.

— Oui, répondit-elle. Je suis désolée. Je n'arrive
pas à me concentrer.

— Vous voulez dire que je ne suis pas aussi
pétillant d'esprit que d'habitude ?

Monsieur Chouinard sourit et s'éloigna sans attendre de réponse. Odile était tirée d'affaire.

François sortit en même temps qu'elle à la fin du
cours.

— Je crois que je ferais mieux de copier mes notes
d'aujourd'hui aussi, dit-il d'un ton sérieux.

À ses yeux, tout manque de concentration était
une catastrophe.

— Merci, François.

— De rien.

Il allait s'éloigner lorsqu'il s'arrêta.

— Hé ! Odile ! je dois remettre ceci à Isabelle.

Il sortit une épaisse chemise de son sac.

— C'est un scénario que nous avons préparé en
audiovisuel. Pourrais-tu le lui donner ? Je l'aurais
bien fait moi-même, mais j'ai rendez-vous chez le
dentiste et je dois partir tôt.

— Bien sûr.

Odile s'empara de la chemise.

— Parfait, dit François. Et dis-lui de ne pas le
perdre. Je n'ai aucune envie de le taper de nouveau.

Odile promit de le donner à Isabelle et se rendit à son cours suivant.

Charles habita son esprit durant le reste de la journée. Quand Odile le rencontra après l'école, elle se sentit mal à l'aise. Pourrait-il deviner ses pensées ?

Si Charles remarqua qu'elle était embarrassée, il ne fit aucun commentaire. Il avait l'air dans son état normal ou, du moins, dans l'état où il était quand il lui avait téléphoné pour l'inviter : amical, taquin, presque enjôleur.

Avant de l'appeler, par contre, il était demeuré discret. Indifférent et distant, se souvint Odile. Est-ce que le véritable Charles Martineau voulait bien se lever ?

— J'ai oublié de te dire quelque chose, dit-il en la rejoignant dans le corridor tandis qu'elle marchait vers le local d'audiovisuel.

— À propos de quoi ?

Odile songeait toujours à sa mauvaise humeur. Peut-être allait-il lui donner des explications.

— Je suis en voiture aujourd'hui, annonça-t-il en posant sa main sur l'épaule d'Odile. Ma mère a pris une journée de congé. Alors...

Odile sourit.

— Alors ?

Il lui serra l'épaule.

— Et si je te raccompagnais chez toi avant d'aller travailler ?

— Ah !

— Hé ! fit Charles. Ce n'est qu'une promenade en voiture. Inutile de manifester tant d'enthousiasme.

Odile secoua la tête et rit.

— D'accord. Je monte avec toi.

Elle tapota la chemise que François lui avait remise.

— Je dois remettre ça à Isabelle d'abord. J'en ai pour une minute. Tu connais Isabelle Berger, n'est-ce pas ? demanda-t-elle pendant qu'ils se rendaient au local.

— Bien sûr. Pas très bien, cependant.

— Il y a eu une fête chez François en septembre, dit Odile. Je crois qu'Isabelle m'a dit que tu étais là.

Odile jeta un coup d'œil furtif vers Charles en se demandant s'il ferait allusion à sa dispute avec Olivier.

Mais un groupe d'élèves tourna le coin à cet instant en riant et en se bousculant. Charles et Odile furent séparés durant quelques secondes et, lorsque qu'ils furent de nouveau l'un près de l'autre, la réaction de Charles, s'il en avait eu une, était passée.

Odile décida de ne plus reparler de cette soirée. S'il voulait lui dire quelque chose, il le ferait. De toute manière, Isabelle avait probablement raison ; il avait dû oublier cet incident.

Isabelle ne se trouvait pas au local d'audiovisuel, qui était désert.

— Bizarre, dit Odile. Il y a toujours au moins une personne ou deux ici.

Charles promena son regard sur les magnétophones, moniteurs et autres appareils, ainsi que sur les câbles épais qui serpentaient dans tous les coins de la pièce.

— Je crois que je ferais mieux de remettre ceci à Isabelle en mains propres, dit-elle en retirant la chemise de son sac. C'est un scénario. Il a sûrement de bonnes chances d'être primé.

Charles regarda l'heure.

— Je croyais qu'Isabelle serait là, dit Odile.

— Je peux attendre encore un peu, dit Charles.

Quelques minutes s'écoulèrent, mais Isabelle ne s'était toujours pas montrée.

— Écoute, il faut que tu partes, dit Odile.

— Oui. Désolé.

Il s'approcha d'elle, hocha la tête et sourit. Il parut sur le point de l'embrasser, mais au même moment, Suzie fit irruption dans la pièce.

— Oh ! dit-elle en les apercevant.

Charles la regarda et fronça légèrement les sourcils. Puis, il se tourna vers Odile et sourit.

— Une autre fois, d'accord ?

— D'accord.

Odile se demanda s'il avait voulu parler de la voiture ou du baiser. Il lui faudrait attendre pour le savoir.

— À demain.

— Navrée, dit Suzie après le départ de Charles. Je ne savais pas qu'il était ici.

— Mais tu savais que *j'y* étais ?

Odile s'empara de son sac et s'assura qu'elle y avait bien mis ses notes d'anglais.

Suzie s'approcha d'Odile.

— Je... euh... je te cherchais.

Odile leva les yeux. Suzie fixait son sac, l'air contrarié.

— Je sais, il tombe en morceaux, dit Odile en riant et en passant son doigt dans un trou. Tiens, voilà mes notes.

Elle ferma la fermeture éclair de son sac et le posa sur le plancher.

— Pourquoi me cherchais-tu?

Suzie se mordilla la lèvre.

— Je voulais simplement te dire que j'étais désolée à propos de ce qui s'est passé au secrétariat. Je n'étais pas dans mon assiette.

— Ce n'est pas grave, Suzie, dit Odile.

Elle était un peu surprise: Suzie avait-elle sacrifié un moment avec Patrice pour venir s'excuser? Malgré tout, elle était contente qu'elle l'ait fait.

— Bon.

Suzie regarda l'horloge.

— Merci, Odile. À bientôt.

Comme si elle en avait terminé avec une tâche déplaisante, elle tourna les talons et sortit de la pièce aussi rapidement qu'elle y était entrée.

De nouveau seule, Odile fit le tour du local et commença à s'impatienter.

Où était Isabelle? Où était passé tout le monde?

Elle songea à laisser la chemise avec une note pour Isabelle. Mais si le scénario était égaré, François lui en voudrait jusqu'à la fin de ses jours. Odile marcha vers la porte et regarda à gauche et à droite dans le couloir. Elle entendait des voix et des pas dans d'autres corridors, mais personne ne venait dans sa direction.

Isabelle arriverait sûrement d'une minute à l'autre. Odile décida d'aller à sa rencontre. Après avoir refermé la porte du local, elle traversa le couloir et tourna le coin.

À l'autre extrémité du corridor, tout près du local d'audiovisuel, une porte s'ouvrit et quelqu'un passa la tête dans l'embrasure de la porte. Odile s'éloignait et était maintenant hors de vue.

Quand Odile avait quitté le local, il était désert. Il le serait encore à son retour. Toutefois, dans l'intervalle, quelqu'un allait y entrer.

Lorsqu'elle tourna le coin, Odile repéra une fontaine et but un peu d'eau. Un élève passa au moment où elle se penchait au-dessus de la fontaine. Elle aperçut des pieds géants chaussés de baskets. De toute évidence, ce n'était pas Isabelle.

Odile se redressa et alla jeter un coup d'œil au tableau d'affichage. On y annonçait, entre autres, la pièce de théâtre jouée par les élèves ainsi que l'élection prochaine des délégués de classe de troisième secondaire.

Au moment où elle allait se détourner du tableau d'affichage, une autre annonce attira son attention. Un réalisateur de la télévision donnait une conférence à l'auditorium ce jour-là, après les cours.

Cela expliquait tout. Isabelle et tous les autres mordus de la vidéo étaient probablement rassemblés à l'auditorium.

En soupirant, Odile retourna dans le local d'audio-visuel. Si elle repérait Isabelle dans l'auditorium, elle lui remettrait le scénario. Sinon, il faudrait que cela attende. Une seule nuit ne pouvait quand même pas faire une aussi grande différence.

Odile ouvrit la porte du local d'audiovisuel et entra.

Elle eut un frisson dans le dos et regarda vivement par-dessus son épaule. Personne ne se cachait derrière la porte.

Odile se secoua et marcha jusqu'à la table où elle avait laissé la chemise.

Elle s'apprêtait à la mettre dans son sac lorsqu'elle s'immobilisa.

Son sac se trouvait sur la table. Pourtant, elle l'avait laissé sur le sol.

Frénétiquement, Odile ouvrit son sac et regarda à l'intérieur. Cahiers, livres, stylos, pomme, brosse à cheveux, mouchoirs de papier, clés, élastiques : tout y était. Même les trois pièces de un dollar.

N'empêche que, pendant qu'elle avait quitté la pièce, on était venu fouiller son sac.

Elle avait été imprudente de le laisser là. Mais, au moins, rien n'avait été volé. Odile s'empara de la chemise et de son sac et marcha vers la porte.

Cependant, elle s'arrêta encore une fois en songeant à quelque chose.

On n'avait pas pris son argent. Mais alors, que cherchait-on ?

Chapitre 8

Une demi-heure plus tard, Isabelle aperçut Odile assise par terre devant les portes de l'auditorium.

— Qu'est-ce que tu fais ici ?

— Je t'attendais.

Odile ramassa ses affaires et se leva.

— François m'a demandé de te remettre ceci, dit-elle en lui tendant la chemise.

Isabelle l'ouvrit.

— Oh ! son scénario, soupira-t-elle. J'aurais préféré qu'il l'oublie. Il a du talent, mais je n'ai pas envie de travailler avec lui. J'ai mes propres idées.

Elle referma la chemise et regarda Odile.

— Tu n'étais pas obligée d'attendre pour me le donner, mais je te remercie quand même. Tu rentres à pied ?

— Il le faudra bien, répondit Odile. Charles avait offert de me raccompagner en voiture, mais il ne pouvait pas attendre plus longtemps.

— Charles ?

Les yeux d'Isabelle s'illuminèrent.

— Je suppose que ça signifie que tu l'intéresses toujours.

— Je crois, oui.

Odile n'était pas d'humeur à parler de Charles. Elle était encore ébranlée par ce qui s'était passé dans le local d'audiovisuel.

Odile ouvrit la porte d'une poussée et elles sortirent dans l'air froid. Il était seize heures et il ferait bientôt nuit. Les voitures avaient déjà allumé leurs phares.

— Je t'ai attendue dans le local d'audiovisuel durant quelques minutes, puis je suis partie à ta recherche, commença Odile. J'ai aperçu une annonce concernant la conférence sur le tableau d'affichage ; je savais donc où te trouver.

Elle frissonna, et pas seulement à cause du froid.

— J'ai laissé mon sac dans le local quand je suis sortie et quelqu'un l'a fouillé.

— C'est vrai ? Il te manque quelque chose ?

Odile secoua la tête.

— J'avais de l'argent dans mon sac. Pas beaucoup, mais il y est toujours.

— Tant mieux.

Isabelle retira ses mitaines de ses poches et les enfila.

— C'est étrange, n'est-ce pas ? D'abord ton casier, maintenant ton sac.

De nouveau, Odile fut parcourue d'un frisson.

— C'est ce que je me disais. Non seulement c'est étrange, mais c'est un peu affolant.

— Qu'est-ce que tu veux dire ? Ce n'est que de la malchance.

Isabelle fronça les sourcils en remarquant l'expression d'Odile.

— N'est-ce pas?

— Peut-être, peut-être pas, dit Odile lentement. Tu te souviens des coups de téléphone dont je t'ai parlé?

Isabelle acquiesça.

— En revenant de mon rendez-vous avec Charles samedi soir, j'ai cru qu'on était entré dans la maison. Ensuite on fouille mon casier, puis mon sac, poursuivit Odile. Rien de fâcheux ne s'est produit, toutefois. Personne n'a été blessé et rien n'a disparu. On dirait qu'on cherche à me faire peur.

— Mais pourquoi donc? demanda Isabelle.

— Je n'en sais rien, admit Odile. Mais on lit des histoires de ce genre tous les jours dans les journaux.

Isabelle parut sceptique.

— Je crois que tu t'imagines des choses. Après tout, pourquoi voudrait-on t'effrayer?

— Les gens qui en poursuivent d'autres le font souvent sans raison, du moins, sans raison valable. On ne parle pas d'individus normaux, tu sais.

— Oui, peut-être.

Isabelle ne semblait toujours pas convaincue.

— Il pourrait aussi s'agir de plusieurs coïncidences.

— Je sais, je sais, approuva Odile. C'est seulement curieux que tout survienne en même temps.

Elles atteignirent le coin de rue où elles se séparaient pour aller dans des directions opposées.

Isabelle s'arrêta.

— Qu'est-ce que tu vas faire? demanda-t-elle.

— Je ne sais pas, répondit Odile. Je me trompe peut-être. Je l'espère. Mais si j'ai raison, je ferais mieux d'ouvrir l'œil.

Ouvrir l'œil… Après avoir quitté Isabelle, Odile se demanda comment elle pourrait ouvrir l'œil en ne sachant même pas de qui elle devait se méfier.

Une voiture passa rapidement en sens inverse et éclaboussa Odile. Celle-ci se retourna pour jeter un regard haineux au chauffeur et aperçut les phares d'une autre voiture qui venait derrière elle tout en s'approchant du trottoir.

Néanmoins, la voiture ne la dépassa pas. Elle se trouvait presque à un pâté de maisons derrière elle et avançait lentement. Très lentement.

Odile tourna au coin de rue suivant et hâta le pas. À mi-chemin du pâté de maisons, lorsqu'elle vit les phares de la voiture balayer le coin de rue, elle se mit à courir.

Elle ne s'arrêta qu'une fois chez elle, deux pâtés de maisons plus loin. Le cœur battant et la bouche sèche, elle se réfugia sous le porche, chercha ses clés à tâtons et entra dans la maison en claquant la porte.

Presque immédiatement, elle la rouvrit et passa la tête dans l'embrasure de la porte. Quelques voitures passèrent. L'une d'elles était de couleur sombre, comme celle qui l'avait suivie. Par contre, elle n'était pas certaine que c'était bien le même véhicule.

Elle ne pouvait pas non plus affirmer que l'automobile l'avait réellement suivie. En apparence, cela semblait être le cas, mais Isabelle aurait dit que c'était une pure coïncidence. Odile n'en était pas aussi sûre.

Sa respiration avait presque repris un rythme normal lorsque quelque chose effleura sa jambe. Elle bondit, le souffle coupé.

Ce n'était que le chat qui voulait sortir.

Odile ouvrit la porte un peu plus grande cette fois et l'animal se faufila à l'extérieur.

Après avoir verrouillé la porte, Odile enleva ses chaussures, laissa son manteau dans le vestibule et entra dans la cuisine.

Sa mère avait laissé un message sur le répondeur: elle ne serait pas de retour avant dix-neuf heures trente et son père rentrerait encore plus tard. Elle devrait donc faire un peu de lessive.

Odile se prépara un sandwich au beurre d'arachide et téléphona à Isabelle pour lui dire à propos de la voiture. La ligne était occupée. Odile mangea son sandwich tout en regardant la télévision. Un peu plus tard, elle rappela chez Isabelle. La ligne était toujours occupée.

Isabelle aurait probablement ri, de toute façon. Mais c'était peut-être ce dont Odile avait besoin. Lorsqu'elle téléphona quelques minutes plus tard, personne ne répondit.

Odile vida le panier à lessive et descendit les vêtements sales dans la buanderie. Elle venait de mettre la machine à laver en marche lorsqu'elle crut entendre la sonnerie du téléphone. Elle se précipita en haut pour écouter le message sur le répondeur mais, bien que la lumière rouge clignotât, il n'y en avait aucun.

«Ce n'est rien, se dit-elle. Pas de panique.»

La porte de derrière fit du bruit et Odile sentit son cœur s'emballer. Elle expira soudain en reconnaissant le bruit: Horace avait glissé ses griffes sous le bas de la porte grillagée et tirait. C'était sa façon de frapper.

Une fois le chat rentré et les portes verrouillées, Odile saisit son sac et se dirigea vers sa chambre. Par la fenêtre, elle aperçut la maison d'Olivier, qui paraissait sombre et abandonnée.

Odile baissa les stores, s'étendit sur le lit et essaya de lire quelques chapitres de son livre d'anglais. Mais ses paupières étaient très lourdes… Elle finit par céder, éteignit la lumière et s'assoupit.

Elle rêva de bruits : le bruit sourd d'un ballon de basket, un « clic » sur la ligne téléphonique, des pneus qui roulaient dans la rue. Elle savait qu'elle rêvait, mais les sons étaient tellement réels qu'elle se réveilla en sursaut à plusieurs reprises.

Cependant, en sentant le couvre-lit sous sa joue et en entendant le chat ronronner dans son oreille, elle tournait la tête et s'endormait de nouveau.

Elle rêva également de voix. Quelqu'un cria. Elle ne put comprendre les mots, mais elle reconnut la voix d'Olivier. Elle entendit Suzie dire qu'elle était désolée, puis Isabelle et François discuter à propos du scénario. Elle saisit les mots « prends garde » et s'éveilla brusquement durant un bref instant. C'est Charles qui avait prononcé ces mots.

Elle se sentait lourde, comme si elle s'enfonçait dans le matelas. Elle savait où elle se trouvait et avait conscience de rêver, mais ne parvenait pas à bouger suffisamment pour se réveiller complètement. Les voix et les sons se confondaient. Odile s'efforça de comprendre ce qui se passait, mais c'était trop déroutant. Elle sombra dans un sommeil profond.

Quand Odile se réveilla enfin, la pièce était sombre. Odile était courbaturée, comme si ses muscles avaient été tendus pendant un long moment. Elle regarda son réveil du coin de l'œil: dix-huit heures quinze. Elle avait dormi durant quarante-cinq minutes.

Horace était couché en boule sur l'oreiller près de la tête d'Odile, ses pattes rentrées sous lui. En constatant qu'elle était réveillée, il se mit à ronronner de nouveau.

Mais Odile entendit aussi un autre bruit.

Qu'est-ce que c'était?

En appuyant son menton dans ses mains, elle prêta l'oreille. Le chat bougea tout en la regardant. Puis, il écarquilla les yeux et ses oreilles se dressèrent dans la direction de la fenêtre.

Horace l'avait entendu, lui aussi.

Il s'agissait d'un bruit sec, d'un craquement, comme si quelqu'un mangeait des croustilles, ou marchait dessus.

Ou encore, comme si quelqu'un marchait avec précaution sur des feuilles mortes.

Chapitre 9

Odile s'agenouilla et écouta attentivement.

Silence.

« C'était peut-être un chien », se dit-elle. Les chiens, pourtant, ne marchaient jamais avec précaution ; ils écrasaient tout sur leur passage — de vrais bulldozers. Ce devait être un chat.

Son propre chat se leva et s'étira, puis se coucha en boule et se rendormit.

Odile marcha jusqu'à la fenêtre. Elle tira légèrement le store et regarda à l'extérieur.

Il faisait aussi noir dehors que dans sa chambre.

Elle en avait assez de l'obscurité. Elle fit le tour du lit et s'apprêtait à allumer sa lampe lorsqu'elle entendit le bruit de nouveau.

Sa main s'immobilisa sur le bouton de la lampe et elle prêta l'oreille.

De toute évidence, ce n'était pas un chien. Et les pas étaient trop lourds pour être ceux d'un chat. Il aurait pu s'agir d'un raton laveur, mais Odile en doutait. Pas après les coups de téléphone, la voiture qui l'avait suivie, son casier et son sac.

Quelqu'un était là, à l'extérieur, dans la cour, et s'efforçait de ne pas faire de bruit.

Quelqu'un essayait de l'effrayer…

… et y parvenait.

Le cœur d'Odile battait à tout rompre et son visage s'enflamma. Ce n'était pas dû seulement à la peur, cependant. En son for intérieur, au-delà de la frayeur, elle sentit la colère monter en elle.

Elle quitta sa chambre et se dirigea vers le vestibule. Elle avait le droit de rester seule dans sa propre maison sans être terrorisée. Elle en avait assez qu'on la harcèle par des coups de téléphone, qu'on la suive dans la rue et qu'on fouille ses affaires.

En passant devant la cuisine, elle jeta un coup d'œil dans la pièce. Les deux portes étaient verrouillées. Elle marcha jusqu'à la porte de devant, constata qu'elle était toujours verrouillée et mit la chaîne de sûreté. Elle éteignit la lumière du salon afin de ne pas être vue de l'extérieur.

Elle crut entendre le bruit encore une fois, mais il semblait maintenant provenir du côté de la maison. Debout au milieu du salon, Odile écouta pour s'assurer qu'elle avait bien entendu.

Oui, quelqu'un se trouvait tout près de la fenêtre du salon.

Odile se retourna vivement et se rua vers la cuisine. Elle allait appeler la police. Elle dirait aux policiers de ne pas utiliser leur sirène. Elle voulait que l'individu qui rôdait dans la cour se fasse surprendre. Elle espérait que la police le repérerait à l'aide de projecteurs et qu'il aurait aussi peur qu'elle.

Mais elle devait faire vite avant qu'il ne s'en aille. Elle voulait qu'on lui mette la main au collet.

À l'instant même où Odile saisit le récepteur, on sonna à la porte. Elle eut si peur qu'elle laissa tomber le récepteur, qui heurta le mur et se mit à se balancer dans tous les sens.

On sonna de nouveau.

S'attendait-il vraiment à ce qu'elle ouvre la porte?

Odile attrapa le récepteur, le porta à son oreille et était sur le point d'appuyer sur les touches lorsqu'elle entendit une voix.

— Hé! Il y a quelqu'un?

Lentement, Odile baissa le bras. Elle connaissait cette voix. Elle l'avait entendue dans son rêve tout à l'heure. Elle l'entendait presque tous les jours à l'école. C'était la voix de François.

— Odile? appela-t-il.

Odile raccrocha et courut vers la porte. Elle alluma les lumières du porche et du salon et entrouvrit la porte tout en laissant la chaîne de sûreté accrochée.

François se retourna.

— Oh! salut. Odile?

— Un instant.

Elle referma la porte, enleva la chaîne et ouvrit toute grande la porte.

— François, entre.

— Je savais qu'il y avait quelqu'un, dit-il en entrant. J'ai vu la lumière s'éteindre tandis que je remontais l'allée.

— C'était moi, dit Odile.

Elle regarda dehors, mais il n'y avait personne d'autre, bien sûr.

— Tu éteins toujours les lumières à dix-huit heures trente ?

— Il y avait quelqu'un à l'extérieur.

Odile ferma la porte et la verrouilla.

François la regarda comme si son quotient intellectuel venait subitement de baisser de plusieurs points.

— Je sais. C'était moi.

Odile secoua la tête avec impatience.

— Pas toi. Il y avait quelqu'un d'autre dehors. Je l'ai entendu bien avant que tu arrives. As-tu aperçu quelqu'un ?

— Non, répondit-il. Tu veux que je sorte et que j'aille jeter un coup d'œil ?

— Non, il est parti maintenant, dit Odile.

François paraissait inquiet.

— De qui s'agit-il, Odile ?

— Je n'en ai aucune idée, répondit-elle. Une crapule essaie de m'effrayer, c'est tout ce que je sais.

Elle se rendit dans le salon, François sur ses talons.

— J'allais téléphoner à la police quand je t'ai entendu, dit-elle par-dessus son épaule.

— Ç'aurait été excitant, plaisanta François. Je suis innocent, monsieur l'agent. Je venais simplement lui porter des notes.

— J'aurais répondu de toi.

Odile rit. Elle se sentait un peu mieux.

— Tu étais venu me porter tes notes d'histoire ?

François acquiesça et lui tendit un paquet de feuilles agrafées.

— Il y a un examen après-demain, tu te souviens?

— Non, je ne le savais pas, dit Odile en songeant à quel point elle avait été distraite en classe.

Elle s'empara des notes et les feuilleta.

— Merci, François. C'est super. Oh! j'ai remis le scénario à Isabelle.

— Très bien, merci.

François sourit et fit un pas vers la porte.

Il voulait probablement rentrer chez lui et étudier afin d'obtenir un A+ au lieu d'un simple A, se dit Odile. Mais elle n'avait pas envie qu'il parte. Peut-être que si elle poursuivait la conversation, elle arriverait à le retenir jusqu'à ce que ses parents reviennent.

— Écoute, dit-elle. J'ai le sentiment de te devoir quelque chose pour les notes. Tu veux boire un cola ou manger une bouchée?

Elle balaya la pièce du regard.

— Et si l'on regardait la télévision? Ou un film? Oh! non, on ne peut pas… Le magnétoscope ne fonctionne plus et nous ne l'avons pas encore fait réparer.

— Euh, Odile…

— Il s'est arrêté au beau milieu de la cassette d'Olivier, continua-t-elle. Tu te rappelles, je t'en ai parlé? Mais dès que j'aurai regardé le reste de la cassette et que je serai certaine qu'il n'y a aucune scène embarrassante…

— Odile?

— Je sais, je parle trop.

Odile s'interrompit et rit.

— Navrée. J'ai eu très peur tout à l'heure. Je crois que je suis encore un peu nerveuse.

François la regarda et Odile lut sur son visage la même chose que sur celui d'Isabelle : le scepticisme.

Néanmoins, elle voulait éviter de se rendre ridicule en le suppliant de rester.

— Ça va, maintenant, dit-elle. Merci pour les notes.

Peut-être n'était-il pas aussi sceptique qu'elle l'avait cru, toutefois.

— Écoute, Odile. Donne-moi une lampe de poche et je vais jeter un coup d'œil à l'extérieur, d'accord ?

Au moins, il lui avait proposé de le faire, pensa Odile, soulagée. En le remerciant de nouveau, elle alla chercher la lampe de poche dans la cuisine et la lui apporta. Puis, elle attendit près de la porte et écouta les pas bruyants de François sur les feuilles tombées.

— La voie est libre, annonça François en grimpant les marches et en lui tendant la lampe de poche. Je ne sais pas vraiment ce que je cherchais, mais personne ne se cache dans les buissons, en tout cas.

« Plus maintenant, du moins », se dit Odile.

Mais quelqu'un était venu.

Et reviendrait peut-être.

Il avait neigé durant la nuit et la neige tombait toujours légèrement lorsque Odile partit pour l'école le lendemain matin. Dommage qu'il n'ait pas neigé la veille, pensa Odile. François aurait vu des empreintes autour de la maison.

Mais alors, qu'aurait-elle fait ? La police ne serait pas accourue parce qu'on avait marché sur le terrain. Que devait-elle faire ? Attendre qu'on s'en prenne non pas à son casier ou à son sac, mais à *elle* ?

— Tu crois qu'ils finissent par attaquer ? demandat-elle à Isabelle qui l'avait rejointe dans le corridor.

— Bonjour quand même.

Isabelle repoussa le capuchon de l'imperméable qu'elle avait emprunté à Odile.

— De quoi parles-tu donc ?

— Tu crois que les cinglés qui espionnent les autres finissent par s'en prendre à leur victime ?

— Je ne sais pas. C'est toi l'experte, dit Isabelle.

Odile la regarda de travers.

— Ce n'est pas drôle, tu sais. Et ne me dis pas que c'est mon imagination. Je n'ai pas imaginé qu'une personne rôdait autour de chez moi hier soir pendant que j'étais seule. J'ai failli appeler la police.

Isabelle écarquilla les yeux.

— Que s'est-il passé ? Pourquoi ne l'as-tu pas fait ?

Odile lui raconta que François était arrivé et avait fait le tour de la maison.

— Il n'a vu personne, naturellement. Mais quelqu'un est venu.

Elles arrivèrent devant le casier d'Odile et celle-ci consulta le bout de papier sur lequel était inscrite la nouvelle combinaison de son cadenas. Elle ouvrit son casier et regarda à l'intérieur. Rien n'avait bougé.

— Tu crois toujours que j'ai trop d'imagination, n'est-ce pas ? demanda Odile.

— Je n'ai jamais dit ça.

Isabelle leva une main, comme si elle croyait qu'Odile allait protester.

— Je ne me moque pas de toi. Je ne sais pas quoi penser, voilà tout. Ça me paraît trop bizarre pour être vrai.

— Oui, je sais ce que tu veux dire.

Odile sourit.

— Je suis désolée. Mais ça me fait froid dans le dos. Oh ! ajouta-t-elle. J'ai apporté la cassette d'Olivier.

Elle tapota son sac.

— Et si l'on se fixait rendez-vous au local d'audiovisuel après l'école ? Tu pourrais alors me montrer comment effacer la séquence dont je veux me débarrasser.

— Bien sûr.

Isabelle fit mine de s'éloigner, puis se retourna.

— Écoute, essaie de ne pas trop t'inquiéter, d'accord ? Je sais que tous ces incidents te donnent la chair de poule, mais tu n'as pas encore la certitude qu'on te poursuit. Nous pourrions peut-être élaborer un plan pour en avoir le cœur net.

— Et si l'on découvrait que j'ai raison ?

Isabelle sourit.

— *Alors* tu pourrais t'inquiéter.

Odile se sentit mieux après avoir parlé à Isabelle. Le simple fait de savoir qu'elle était de son côté la réconfortait. Elles étaient amies depuis la sixième année et n'avaient jamais connu de dispute grave. Isabelle était intelligente et avait le sens de l'observation ; si quelqu'un pouvait aider Odile à résoudre son problème, c'était bien elle. Elle n'avait peur de rien. Si un cinglé poursuivait réellement Odile, elle s'assoirait probablement dessus pendant qu'Odile alerterait la police.

À l'heure du dîner, quand François céda à la tentation de raconter à tout le monde qu'il avait marché à pas de loup autour de chez elle armé d'une lampe de poche en espérant que les voisins ne le verraient pas, Odile réussit même à en rire.

— C'était plus fort que moi, dit-elle. Je crois que j'ai réagi de manière exagérée, mais j'avais très peur.

— Je ne comprends pas pourquoi tu ris, intervint Suzie. J'ai lu un article à propos d'une actrice qui se faisait harceler ; son poursuivant l'a tuée.

— Merci beaucoup, Suzie, dit Odile.

— Franchement, Suzie ! dit François. On essaie de remonter le moral d'Odile, pas de la rendre paranoïaque.

— Tout ce que je dis, c'est qu'elle devrait être sur ses gardes, dit Suzie.

Elle fixa Odile et ses yeux bleus, habituellement froids et distants, étaient brillants, presque perçants.

— Il ne s'agit peut-être pas d'une plaisanterie.

Odile remua sur sa chaise et regarda Charles, qui était assis à l'autre extrémité de la table. Il l'observait et un sourire errait sur ses lèvres. Il demeura silencieux, mais semblait lui dire de ne pas accorder d'importance aux paroles de Suzie.

Odile se tourna de nouveau vers Suzie.

— Merci, Suzie, dit-elle. Je promets d'être prudente. De toute façon, si je suis vraiment devenue paranoïaque, je crois savoir pourquoi. C'est à cause de mon fantôme.

François se prit la tête dans les mains, comme s'il ne pouvait pas croire ce qu'il entendait.

— Je suis sérieuse, continua Odile. C'est le fantôme d'Olivier. Parfois je rêve que je l'entends jouer au basket-ball. Hier, avant l'arrivée de François, je me suis endormie et j'ai entendu sa voix. La voix d'Olivier.

Odile se tut. Tout le monde la dévisageait. Même Patrice, qui ne quittait jamais Suzie des yeux, la fixait.

Elle rit.

— Ce n'est pas ce que vous pensez, leur expliqua-t-elle. Je ne crois pas aux fantômes. Je voulais dire que je pense encore beaucoup à lui.

— Tu n'es pas la seule, dit Suzie.

Sa voix était aiguë et tendue.

— Je sais, soupira Odile. Au fait, je vous ai parlé de la cassette que sa mère m'a remise ? Isabelle va la mettre au point et je vais l'aider. Nous commençons aujourd'hui, après les cours, et lorsque nous aurons terminé, on organisera une projection.

— C'est une bonne idée, dit Patrice. Mais on n'y verra pas Olivier.

— Je n'ai pas encore regardé toute la cassette, dit

Odile. Un copain l'a peut-être filmé. Mais ce n'est pas ce qui compte.

— Qu'est-ce qui compte ? demanda Suzie.

— Ce sera le dernier cadeau qu'Olivier nous aura fait, répondit Odile. Un film où nous apparaissons tous. Nous, ses amis.

Chapitre 10

Ce jour-là, le local d'audiovisuel grouillait d'activité après les cours. Au moins dix élèves se trouvaient dans la pièce et allaient et venaient parmi les moniteurs et les magnétophones. Ils criaient des nombres, se disputaient et parlaient à tue-tête.

Isabelle était au beau milieu de cette pagaille, mais elle ne semblait pas énervée. Elle paraissait savourer chaque instant.

François était là aussi, mais l'angoisse se lisait sur son visage. De toute évidence, il avait horreur du chaos.

— Salut, dit Odile à Isabelle après s'être frayé un chemin jusqu'à son amie. Je crois que nous n'avons pas choisi le bon moment pour venir travailler.

— Ce sera bientôt fini, dit Isabelle. Enfin, je le pense. Patiente encore quinze minutes.

Odile repéra une chaise et la poussa contre un mur afin de ne pas nuire à qui que ce soit. François sortit, l'air en détresse, et cela lui rappela qu'elle n'avait même pas commencé à étudier en vue de l'examen d'histoire du lendemain. Elle sortit les notes de son sac et les parcourut.

Quelques minutes plus tard, elle se leva et alla rejoindre Isabelle.

— Écoute, dit-elle, je crois que je ferais mieux de partir.

— Pourquoi ? Dans dix minutes, la moitié d'entre eux seront partis, dit Isabelle qui notait des nombres dans un cahier.

— Je viens de jeter un coup d'œil sur ce que je dois étudier pour un examen, expliqua Odile. Si je ne commence pas tout de suite, ce sera un désastre. De plus, j'ai beaucoup d'autres devoirs.

— Bon, très bien, dit Isabelle. Donne-moi la cassette, tu veux bien ? Je vais en faire une copie immédiatement. Ainsi, nous gagnerons du temps.

— Bonne idée.

Odile lui remit la cassette et lui dit au revoir. Isabelle lui fit un signe de la main, déjà replongée dans son travail.

Odile avait manqué l'autobus scolaire, mais elle prit l'autobus de la ville, qui la déposerait à moins d'un pâté de maisons de chez elle.

Elle s'adossa à la banquette et regarda par la vitre. Elle aperçut Suzie qui bavardait non pas avec Patrice, mais avec David Truchon au coin de la rue. Patrice faisait partie de l'équipe de soccer de l'école. Il s'entraînait peut-être.

L'autobus s'immobilisa pour faire descendre des passagers et en laisser monter d'autres. Une voiture passa à toute vitesse dans la rue et Odile se tourna pour la regarder. Le conducteur ressemblait à Charles, mais la voiture était déjà loin. Ce ne pouvait pas être lui, de toute façon. Il n'avait pas l'auto très souvent.

Odile songea à Charles. À ses yeux gris, à ses cheveux blond foncé et à la façon dont il lui avait souri à l'heure du dîner. Elle aurait voulu qu'il l'invite à sortir encore une fois.

Il avait dit qu'il le ferait, mais ne s'était toujours pas manifesté. Bien sûr, ils étaient sortis ensemble le samedi précédent et ce n'était que mardi. Il lui faudrait attendre.

Elle n'en avait pas envie, toutefois. Qu'est-ce qui l'empêchait de l'inviter elle-même ? Rien.

Une fois descendue de l'autobus, Odile, qui avait prévu de courir jusque chez elle, marcha plutôt d'un pas régulier et ne se retourna qu'à deux reprises.

Quand elle entra, le chat sortit, comme d'habitude.

Elle constata ensuite qu'il n'y avait qu'un message de sa mère sur le répondeur. Aucun autre appel.

Tandis qu'elle vérifiait si les portes étaient verrouillées, Odile sentit son moral remonter.

Tout paraissait... normal.

Elle décida de téléphoner à Charles et de l'inviter à sortir. Pourquoi pas ?

Il y avait quatre Martineau dans l'annuaire téléphonique. Elle tomba sur le bon au deuxième coup. Enfin, pas sur lui, mais sur son frère.

— Il n'est pas là, dit une voix de garçon lorsque Odile demanda à parler à Charles. Qui est-ce ?

Il semblait soupçonneux.

— Euh, c'est Odile Mousseau, dit-elle.

— Oui ?

— Pourrais-tu lui dire que j'ai téléphoné ?

— D'accord.

— Et peut-être qu'il…

Il avait déjà raccroché. Quel était son nom, déjà ? Maxime. En tout cas, il n'était pas très aimable. Il n'avait pas l'air d'un petit garçon qu'une collection de cartes de baseball intéresserait.

Convaincue que Maxime ne ferait pas le message à Charles, Odile mangea une pomme, prit une douche et rappela. Cette fois, il n'y eut pas de réponse. Elle téléphona à Isabelle. Pas de réponse non plus. Isabelle était probablement encore à l'école.

Bon. Plus d'excuses. Il était temps d'étudier.

Odile étudia toute la soirée. Chaque fois que le téléphone sonnait, elle levait la tête et attendait en espérant que sa mère dirait que c'était pour elle.

Mais Charles n'appela pas.

Odile jeta le blâme sur son détestable petit frère.

Il plut toute la nuit, mais le soleil apparut le lendemain matin pour la première fois depuis des jours. Odile interpréta le beau temps comme un signe. Elle en avait assez d'imaginer qu'un cinglé la poursuivait. C'était terminé.

Isabelle serait contente d'entendre ça, se dit Odile en grimpant les marches de l'école.

Isabelle n'était pas dans le corridor, mais Charles s'y trouvait. Il marchait devant elle d'un pas rapide.

Odile sourit en l'apercevant, courut derrière lui et lui tapota l'épaule.

— Je veux porter plainte, dit-elle.

Au son de sa voix, Charles virevolta. Son expression endormie s'effaça pour faire place à la surprise.

— Hé! dit Odile en riant. Ce n'est que moi. On ne t'a pas transmis le message? demanda-t-elle tandis qu'ils marchaient côte à côte.

— Le message? répéta Charles. Tu veux dire que tu as téléphoné?

Odile hocha la tête.

— Hier soir. Ou plutôt, hier après-midi.

— Je travaillais, dit-il. Ce n'était pas prévu, mais j'ai remplacé un employé qui était malade.

— J'avais laissé le message à ton frère.

Charles la regarda.

— À Maxime?

— Mais oui! Enfin, j'ai parlé à un jeune garçon et il n'a pas dit que j'avais le mauvais numéro.

Odile rit.

— As-tu un autre frère?

Charles secoua la tête, mais il ne rit pas.

— Pourquoi appelais-tu? demanda-t-il.

Odile hésita. Charles n'avait pas l'air de très bonne humeur. Peut-être ferait-elle mieux d'attendre.

Pendant qu'elle hésitait, la sonnerie retentit. Elle se dit que c'était un autre signe.

— Ça peut attendre, dit-elle en se dirigeant vers sa classe. On se verra probablement à midi et je te parlerai alors.

Mais à l'heure du dîner, Odile avait autre chose en tête. Quelque chose de bien plus important que d'inviter Charles Martineau à sortir.

Au début, lorsqu'elle commença à se sentir déprimée durant le premier cours, Odile se dit que c'était à cause de Charles. Elle était arrivée à l'école toute joyeuse et prête à l'inviter à sortir, et voilà qu'il lui faisait presque la tête. Elle savait que ce n'était pas sa faute, mais elle était quand même déçue.

Elle croisait généralement Isabelle entre le premier et le deuxième cours ; ce jour-là, cependant, elle ne la vit pas. C'était ennuyeux. Isabelle aurait sûrement pu lui remonter le moral.

Elle passa ensuite son examen d'histoire, qui fut plus difficile qu'elle ne l'avait prévu.

À mesure que l'avant-midi progressait, Odile comprit qu'elle n'avait pas perdu sa bonne humeur à cause de l'attitude de Charles, de l'absence d'Isabelle ou de l'examen d'histoire.

Il y avait une autre raison sur laquelle, pourtant, elle ne parvenait pas à mettre le doigt.

C'était un peu comme le temps : quand tout est calme et que les oiseaux cessent de chanter, bien que le ciel soit encore ensoleillé, on peut sentir la tempête qui s'amène.

Voilà ce qu'Odile appréhendait : une tempête. Pas une tempête de neige, bien sûr. Elle ne savait pas de quoi il s'agissait, mais elle était persuadée qu'il allait se passer quelque chose.

Personne d'autre ne semblait pressentir quoi que ce soit. Suzie paraissait furieuse. François sifflait en se rendant à sa classe quand Odile l'avait croisé. Patrice, qui marchait seul, avait l'air un peu triste. Mais personne ne semblait se trouver dans le même état qu'Odile.

La tempête s'abattit sur Odile tout juste avant l'heure du dîner. Odile s'était arrêtée à son casier et se dirigeait vers la cafétéria lorsqu'elle entendit quelqu'un prononcer le nom d'Isabelle.

Bien sûr, il y avait cinq Isabelle en cinquième secondaire et probablement une douzaine d'autres dans toute l'école, mais Odile prêta quand même l'oreille.

Deux amies de François, Vicky et Diane, se tenaient près d'une fontaine. Elles avaient l'air excitées, secouées. C'était l'expression qu'avaient affichée certains élèves en apprenant ce qui était arrivé à Olivier.

Odile s'approcha.

— Elle n'aurait pas dû rentrer seule le soir, disait Vicky. Nous habitons une ville paisible, mais on ne sait jamais.

Diane approuva d'un signe de tête, les yeux agrandis.

— Quand l'as-tu appris ? demanda-t-elle, le souffle coupé.

— Il y a quelques minutes à peine, répondit Vicky. J'étais au secrétariat quand sa mère a téléphoné. Tout le monde était bouleversé.

Odile n'avait pas réentendu le nom d'Isabelle, mais il fallait qu'elle sache.

— Excusez-moi, dit-elle. De qui parlez-vous ?

Les deux filles tournèrent la tête et aperçurent Odile. Elles échangèrent un regard furtif.

Odile sentit la tempête s'approcher, de plus en plus près.

— Je vous ai entendues dire «Isabelle», dit-elle. Il n'était pas question d'Isabelle Berger, n'est-ce pas?

Diane détourna le regard vers Vicky et attendit qu'elle réponde.

Vicky inspira profondément.

— Vous parlez d'Isabelle Berger, dit Odile.

Ce n'était pas une question. La tempête se trouvait maintenant juste au-dessus de sa tête.

Les deux filles firent un signe affirmatif.

— Oh! Odile! dit Vicky, je ne sais pas quoi te dire. Isabelle est ta meilleure amie, n'est-ce pas?

Chapitre 11

Odile sentit ses lèvres s'engourdir. Elle voulait poser des questions, mais sa bouche refusait de s'ouvrir. Les visages de Vicky et de Diane dansaient devant ses yeux, telles de pâles lunes, et leur expression avide trahissait leur curiosité. Odile allait-elle se mettre à hurler, à pleurer ?

Odile s'efforça de réfléchir. « Isabelle est ta meilleure amie », avait dit Vicky. Isabelle *est*. C'était important.

— Elle n'est pas morte, affirma Odile.

Vicky ferma la bouche, puis la rouvrit.

— Non, elle n'est pas morte ! dit-elle, le souffle coupé. Je n'ai jamais dit ça. Mais elle a été blessée. Il paraît que…

Odile n'attendit pas la suite. Elle ne voulait pas l'entendre de la bouche de Vicky, dont la version serait probablement inexacte.

Odile courut dans le corridor jusqu'au secrétariat en espérant qu'on ne la renverrait pas en classe en lui suggérant de se calmer. Les professeurs et les secrétaires de l'école étaient parfois cachottiers, secrets. Comme si les adolescents étaient des poules mouillées qui s'effondraient à la première mauvaise nouvelle qu'on leur apprenait.

La secrétaire se trouvait au bureau.

Odile aurait préféré que ce soit Suzie. Au moins, celle-ci aurait répondu à ses questions. La secrétaire tapota ses cheveux, l'air agitée.

— Elle va bien, dit-elle à Odile. Elle est à l'hôpital, mais elle ira mieux très bientôt.

Elle jeta un coup d'œil à l'horloge.

— N'est-ce pas l'heure du dîner ?

— Je veux savoir ce qui s'est passé, dit Odile. C'est ma meilleure amie. Qu'y a-t-il donc ?

La secrétaire regarda Odile et son regard s'adoucit.

— Si je le savais, je te le dirais.

Odile soupira et parvint à esquisser un sourire.

— D'accord. Merci.

Elle quitta le secrétariat et se dirigea vers la cafétéria. Une fois dans le corridor, elle s'arrêta et rebroussa chemin. Elle marcha jusqu'à son casier, s'empara de son manteau, emprunta un autre couloir et sortit de l'école par une porte latérale.

Elle avait décidé de ne pas aller dîner. La nourriture pouvait bien attendre. Tout comme l'école.

Un autobus roulait pesamment dans la rue et Odile prit une décision : elle allait rentrer chez elle et appellerait les deux hôpitaux de la ville. Lorsqu'elle saurait où Isabelle était hospitalisée, elle lui téléphonerait et déciderait ensuite ce qu'elle allait faire.

La maison était silencieuse lorsque Odile y entra. Deux jours plus tôt, elle aurait vérifié toutes les portes, inspecté les garde-robes et écouté les messages sur le répondeur.

Pas cette fois. Odile enleva ses chaussures, entra dans la cuisine et saisit l'annuaire téléphonique sur le dessus du réfrigérateur. Tout en tournant les pages, elle se demandait ce qui avait bien pu se passer. Vicky avait dit que c'était imprudent de marcher seule le soir. Isabelle avait-elle été heurtée par une voiture ? Volée sous la menace d'un revolver ? Était-ce possible dans une petite ville aussi paisible que Mont-Rouge ?

Horace entra dans la pièce sans se presser en clignant des yeux d'un air endormi. Il bondit soudain sur la table et miaula pendant qu'Odile cherchait les numéros de téléphone des hôpitaux.

Isabelle se trouvait au centre hospitalier Saint-Joseph, dans la chambre 454. Odile demanda qu'on la mette en communication avec elle, mais en constatant que personne ne répondait après la cinquième sonnerie, elle raccrocha.

Le chat se roula en boule sur l'annuaire téléphonique toujours ouvert pendant qu'Odile se rongeait les ongles, songeuse. C'était sûrement bon signe qu'on l'eût mise en communication avec la chambre d'Isabelle. On ne l'aurait pas fait si Isabelle avait été dans un état critique, n'est-ce pas ?

Isabelle devait être dans la salle de bains ou en train de passer des radios, c'est tout. Ou peut-être le médecin lui avait-il donné son congé.

Odile téléphona chez Isabelle. Pas de réponse.

Frustrée, Odile pesa le pour et le contre. Elle pouvait rester là et essayer à nouveau de joindre Isabelle. Ou elle pouvait sauter dans un autobus et se rendre à l'hôpital.

Ce serait pire de rester assise à se morfondre. Laissant Horace endormi sur l'annuaire, Odile remit ses souliers, quitta la maison et partit pour l'hôpital.

Tandis qu'Odile marchait jusqu'à l'arrêt d'autobus, elle ne pensait qu'à Isabelle, pas aux appels anonymes ni aux empreintes dans sa cour. Si elle y avait songé, elle se serait peut-être retournée. Alors, elle aurait probablement remarqué la voiture qui roulait lentement dans la rue et qui s'immobilisa près de la maison d'Olivier. En la voyant, elle l'aurait peut-être reconnue.

Mais Odile s'inquiétait au sujet d'Isabelle et ne se retourna pas.

Quand Odile arriva à la chambre 454 de l'hôpital, madame Berger en sortait. Elle paraissait fatiguée et un peu tourmentée, mais rien de plus. Elle ne pleurait pas.

— Odile, qu'est-ce que tu…

Madame Berger s'interrompit et secoua la tête.

— Laisse tomber, je sais pourquoi tu es venue. Si cela t'était arrivé, Isabelle aurait également séché ses cours. Elle aurait été ravie de te voir, mais elle dort.

La mère d'Isabelle entrouvrit la porte et Odile

passa la tête dans la chambre. Isabelle était là; elle avait un bandage sur un côté de la figure et un plâtre au bras gauche. Son visage était pâle.

Odile s'assura qu'Isabelle respirait et retourna dans le couloir.

— Que s'est-il passé? demanda-t-elle.

Madame Berger soupira.

— Viens au casse-croûte avec moi, dit-elle. Si je n'absorbe pas de caféine, je vais m'endormir debout.

En sirotant son café, la mère d'Isabelle raconta ce qu'elle savait à Odile. Isabelle était restée tard au local d'audiovisuel pour terminer un travail qu'elle devait remettre quelques jours plus tard.

— Elle a téléphoné à la maison vers dix-huit heures, dit madame Berger. Elle m'a dit qu'elle en avait encore au moins pour une heure. Je lui ai proposé d'aller la chercher, mais elle a dit qu'il y avait plusieurs élèves qui travaillaient et qu'elle pourrait sûrement rentrer avec l'un d'eux. Sinon, elle me rappellerait.

Odile but une gorgée de chocolat, puis se réchauffa les mains en tenant son verre en polystyrène.

— Mais elle n'a pas rappelé?

— Oh! si, elle l'a fait, répondit madame Berger. Mais elle affirme qu'il n'y avait pas de réponse. Je devais être en bas.

Elle réfléchit durant un instant.

— Ou peut-être que j'étais allée chercher le courrier.

De nouveau, elle poussa un soupir.

— Enfin, Isabelle était prête à partir et elle a décidé

de rentrer à pied. Je suppose que tous les autres élèves avaient déjà quitté l'école. Puis, à deux pâtés de maisons de l'école, elle a entendu des pas derrière elle.

Odile fut parcourue d'un frisson.

— Elle ne s'est pas retournée. Mais tout à coup, on l'a agrippée par derrière. Isabelle a tenté de se débattre.

Odile réprima une envie de sourire. Bien sûr qu'Isabelle avait dû se défendre !

— Ils ont lutté durant un bon moment ; Isabelle a eu le poignet fracturé et sa tête a heurté le ciment, poursuivit madame Berger. Dieu merci, son agresseur a pris la fuite après lui avoir volé son sac et tout l'argent qu'il contenait, bien sûr.

— L'a-t-elle vu ? demanda Odile.

Madame Berger secoua la tête.

— La nuit était tombée et, on ne sait trop comment, il a réussi à rester toujours derrière elle. Aucune voiture n'est passée — c'est toujours comme ça, n'est-ce pas ?

Elle but une gorgée de café.

— Je ne devrais pas être amère. Je devrais remercier le ciel que ça n'ait pas été plus grave.

Odile approuva d'un hochement de tête.

— Isabelle a raconté que, durant la bagarre, elle était trop occupée à se défendre pour ouvrir la bouche. Par la suite, elle a perdu connaissance durant un court moment. Lorsqu'elle est revenue à elle, elle s'est mise à hurler à pleins poumons !

Madame Berger rit presque.

— Quelqu'un l'a entendue dans une maison et a alerté la police.

Le chocolat d'Odile avait refroidi, mais elle le termina malgré tout.

— Dieu merci, elle est hors de danger.

La mère d'Isabelle jeta un coup d'œil à l'horloge.

— Il faut que je parte, dit-elle. Isabelle va probablement rentrer chez nous demain. On la garde en observation pour la nuit à cause de sa commotion. Ensuite, elle va demeurer à la maison le reste de la semaine.

— Dites-lui que je suis venue, d'accord? J'irai lui rendre visite demain.

— Après l'école, dit madame Berger. Ne manque pas tes cours de nouveau, Odile. Elle sera vite sur pied.

Odile sourit.

— Je parie qu'elle essaiera de recréer la scène et d'en faire un film, dit-elle.

Madame Berger rit.

— Oh! j'allais oublier! dit-elle soudain. Isabelle marmonnait beaucoup hier soir, mais il y a une chose que j'ai saisie. Elle a mentionné: «Dis à Odile que sa cassette est en lieu sûr.»

Odile ne comprit pas tout de suite. Puis, elle se rappela qu'Isabelle était censée faire une copie de la cassette d'Olivier.

— Elle avait une cassette dans son sac, continua madame Berger, mais c'était la sienne. Elle ne cessait de répéter que la tienne était en sûreté, au local d'audiovisuel, de même que la copie.

Madame Berger rit de nouveau.

— Mais j'ai bien peur que ton imperméable soit irrécupérable.

— Quoi ? Oh ! fit Odile en se souvenant de l'imperméable qu'Isabelle lui avait emprunté. Ça n'a pas d'importance. Lorsqu'elle se réveillera, rappelez-lui que je ne l'aimais pas, de toute façon.

Odile, maintenant soulagée, était fatiguée et lorsqu'elle descendit de l'autobus, le demi-pâté de maisons qu'elle devait parcourir lui parut un kilomètre. Au moins, Isabelle était hors de danger, se dit-elle quand elle tourna dans l'allée en traînant les pieds. Et elle n'avait pas été violée ni tuée. L'agresseur ne voulait que son argent.

Une main sur la poignée de porte, Odile inséra la clé dans la serrure.

La porte s'ouvrit facilement. Différemment. Comme si elle n'avait pas eu besoin de la clé. Était-elle partie vite au point de n'avoir pas verrouillé la porte ?

Odile se crispa. Était-ce son imagination ou la porte était-elle vraiment déverrouillée quand elle l'avait ouverte ?

Avec nervosité, Odile avança dans le passage en jetant un coup d'œil dans le salon et dans la cuisine. Tout semblait à sa place, sauf que le chat n'était plus sur l'annuaire.

Elle marcha jusqu'aux chambres. Tout paraissait comme d'habitude.

Odile prêta l'oreille. Elle entendit le réfrigérateur, son réveil, la chaudière. Des bruits normaux, quoi.

Elle devait avoir imaginé que la porte n'était pas verrouillée.

La fatigue la submergea de nouveau et Odile bâilla à plusieurs reprises. Il n'était que quinze heures trente, mais elle avait l'impression de n'avoir pas dormi depuis des jours.

Dans sa chambre, Odile enleva ses souliers et s'étendit sur le lit. Elle dormirait une petite demi-heure, puis appellerait Isabelle à l'hôpital.

Juste au moment où elle allait s'assoupir, Odile entendit un bruit.

Elle roula sur le côté et tenta de faire comme si elle n'avait rien entendu. Ce n'était qu'Horace qui grattait la porte pour entrer. Il abandonnerait dans une minute.

Mais le chat continua à gratter. Si Odile ne le laissait pas entrer, elle n'arriverait jamais à s'endormir.

En bâillant encore une fois, Odile se rendit dans la cuisine et ouvrit la porte de derrière.

Le chat entra, se frotta contre ses jambes et la fixa : c'était l'heure de manger.

Odile s'apprêtait à saisir la boîte de nourriture sur le comptoir lorsque sa main s'immobilisa. Son cœur se mit à battre à tout rompre et elle ressentit un picotement dans la nuque.

Le chat dormait sur l'annuaire posé sur la table lorsqu'elle était partie.

Comment était-il sorti de la maison ?

Chapitre 12

— Il s'est faufilé dehors en même temps que toi, suggéra sa mère plus tard au souper. Tu ne l'as pas vu, c'est tout.

Odile prit une bouchée de salade et réfléchit. Horace dormait sur la table quand elle était partie. Du moins, c'est ce qu'elle croyait. Mais c'était un chat, après tout, et les chats se déplaçaient très sournoisement. La plupart du temps, elle ne s'apercevait qu'il avait quitté la pièce que lorsqu'elle le voyait dans une autre.

— Peut-être, dit Odile d'un ton de doute. Mais la porte ?

— Je ne sais pas. Tu ne l'avais peut-être pas verrouillée, proposa madame Mousseau en se levant pour aller chercher du café. Mais ça ne veut pas dire que quelqu'un est entré. Tu as dit qu'il ne manquait rien et que tout était à sa place.

Odile secoua la tête.

— J'ai tout vérifié après avoir fait entrer Horace. S'il manque quelque chose, je ne m'en suis pas aperçue.

Sa mère rit.

— Si un voleur s'est introduit chez nous et a volé quelque chose dont nous n'avons pas encore remarqué l'absence, ce n'était sûrement rien d'important.

Elle s'assit à table et mit du sucre dans son café.

— Je crois que c'est ton imagination qui fait des siennes. Tu es nerveuse à cause de ce qui est arrivé à Isabelle, conclut-elle.

— Tu as raison.

Odile se leva pour préparer une assiette pour son père, qui avait téléphoné du bureau pour dire qu'il rentrerait tard.

— Ce fut sûrement terrifiant, ajouta-t-elle en mettant du riz dans l'assiette. Je n'arrive toujours pas à le croire.

Odile avait enfin parlé à Isabelle. Celle-ci était fatiguée et un peu souffrante, mais se plaignait déjà de la nourriture.

— C'est pire que ce que l'on nous sert à l'école, avait-elle dit. Maman est allée me chercher une pizza.

Odile avait souri.

— Je suppose que tu n'as pas envie de me raconter tous les détails les plus horribles, avait-elle dit.

— Tu plaisantes ! Ce ne serait pas amusant si je ne pouvais pas le faire !

Isabelle lui avait répété sensiblement la même chose que madame Berger, mais d'un ton beaucoup plus dramatique.

— Imagine, avait-elle dit. Tu marches seule dans une rue sombre et tu entends des pas sur le trottoir derrière toi.

Odile avait été parcourue d'un frisson.

— C'est bon signe que tu puisses en rire, avait-elle fait remarquer. Tu aurais pu être tuée.

— Bien… ouais…

La voix d'Isabelle avait traîné.

— Mais je lui ai fait mal aussi, tu sais.

— C'est vrai? Comment?

— Avec mes ongles, avait répondu Isabelle. Au début, j'essayais de me retourner afin de pouvoir mieux le pousser. Mais il me tenait par derrière d'une main et maintenait mon capuchon sur mon visage de l'autre. *Ton* capuchon, en fait.

— Quoi? Oh! oui! mon imperméable, avait dit Odile.

— J'ai essayé de lui égratigner la figure, mais j'ai dû me contenter de son bras. Sa manche était toute remontée et je l'ai griffé furieusement.

Odile avait tremblé. Dommage qu'il ne portât pas de marques au visage, s'était-elle dit. Il n'aurait pu les cacher. Mais son bras? C'était l'hiver et on portait des manches longues. Il n'avait rien à craindre.

— Avais-tu beaucoup d'argent? avait demandé Odile.

— Moi, beaucoup d'argent? Tu veux rire, avait répondu Isabelle avec ironie. Je suis surtout furieuse d'avoir perdu ma cassette. J'en avais fait une copie, heureusement, mais il faudra que je refasse la bande sonore.

Elles avaient continué à bavarder durant quelques minutes. Puis Isabelle, fatiguée, avait raccroché.

Maintenant, en couvrant l'assiette d'une pellicule

plastique, Odile repensa à leur conversation. Quelque chose l'ennuyait. S'agissait-il de ce qu'Isabelle avait dit? Ou n'avait pas dit? Ça n'avait peut-être rien à voir avec leur entretien.

« Peut-être suis-je seulement agitée », se dit Odile.

Mais elle était incapable de se débarrasser de cette impression.

Le lendemain matin, Odile ne remarqua personne près de son casier jusqu'au moment où elle entendit trois petits coups secs. Toujours troublée par le sentiment qui l'habitait depuis la veille, elle sursauta et se cogna violemment le coude sur la porte en métal.

— Désolé, dit Charles.

C'était le Charles souriant cette fois.

— Je n'ai pas voulu te faire peur.

— Ce n'est pas grave.

Odile se frotta le coude, puis finit de ranger ses affaires.

— J'ai les nerfs à vif, comme dit ma mère.

Elle referma son casier.

— Je suppose que tu es au courant de ce qui est arrivé à Isabelle.

Il acquiesça et son sourire s'effaça.

— Tout le monde parlait de ça hier. Je croyais te voir à l'heure du dîner, mais en apprenant ce qui s'était passé, j'ai pensé que tu devais être allée à l'hôpital. Tu l'as vue?

— Elle dormait, répondit Odile. Mais je lui ai parlé plus tard. Elle va bien. Elle rentre chez elle aujourd'hui.

— Qu'a-t-elle dit ? demanda Charles pendant qu'ils marchaient dans le corridor. A-t-elle reconnu son agresseur ?

Odile secoua la tête.

— Elle a dit qu'elle lui avait griffé le bras, toutefois. Dommage qu'elle n'ait pu lui arracher les yeux.

Elle regarda Charles.

— Je parie que, quand tu es déménagé ici, tout le monde t'a dit que c'était une petite ville tranquille.

— C'est vrai, dit-il en riant un peu. Mais des agressions de ce genre surviennent partout.

— Il voulait probablement de l'argent pour s'acheter de la drogue, dit Odile. Elle n'en avait pas beaucoup, cependant, et j'espère qu'il a été déçu. Il n'a réussi qu'à s'emparer de sa cassette et il ne peut rien en faire.

— Écoute, Odile, dit Charles rapidement. Tu veux sortir avec moi encore une fois ? Samedi, peut-être ?

Odile cligna des yeux, un peu étonnée de ce brusque changement de sujet. Charles paraissait tellement mal à l'aise, presque timide. Il ne l'avait pas été lorsqu'il l'avait invitée la première fois. Alors pourquoi maintenant ?

« Mais qu'est-ce que ça peut bien faire ? se dit-elle. Tu allais l'inviter hier ; alors réjouis-toi et accepte. »

— D'accord, dit-elle.

Odile était heureuse d'avoir rendez-vous avec Charles, mais elle ne parvenait toujours pas à se défaire de cette impression d'avoir oublié ou perdu quelque chose.

À l'heure du dîner, puisqu'elle était la meilleure amie d'Isabelle et en savait plus que quiconque, Odile raconta la mésaventure d'Isabelle à une tablée d'élèves.

Charles était là, ainsi que Suzie et Patrice. David Truchon était assis à côté de François. Vicky et Diane approchèrent leurs chaises afin d'entendre la version authentique.

Odile n'était pas vraiment lasse d'en parler, mais elle avait déjà raconté l'histoire, par bribes, plusieurs fois au cours de l'avant-midi. Peut-être est-ce la raison pour laquelle elle laissa ses pensées vagabonder tout en parlant... et finit par découvrir ce qu'elle cherchait.

— Elle essayait de se retourner pour le pousser, dit Odile, mais il...

Elle s'interrompit.

— Elle n'avait qu'à lui écraser le pied très fort, dit Vicky.

— Ou lui donner un coup de pied... vous savez où, ajouta Diane.

— D'après Odile, elle ne pouvait pas le faire, dit Suzie. N'est-ce pas, Odile?

Celle-ci n'écoutait que distraitement. Ce qu'elle avait oublié ou perdu allait bientôt lui sauter aux yeux. Mais de quoi s'agissait-il donc?

— Désolée, dit Vicky. Continue, Odile.

Odile fit un effort pour se concentrer.

— C'est exact, elle était incapable de se retourner, continua-t-elle lentement. Il la serrait trop fort et il maintenait son capuchon sur son visage.

Odile s'arrêta. Elle approchait. De quoi ?

Elle secoua la tête.

— Où en étais-je ? demanda-t-elle.

— Le capuchon, dit Vicky. Il maintenait le capuchon sur sa figure.

Elle se tourna vers les autres.

— Il ne voulait pas qu'elle puisse le voir et l'identifier, expliqua-t-elle.

Odile la dévisagea.

— Qu'est-ce que tu as dit ?

Vicky rougit légèrement et s'agita sur sa chaise.

— Bon, d'accord, je regarde trop la télévision. Mais c'est toujours comme ça que ça se passe : l'agresseur essaie d'empêcher sa victime de le voir. Voilà pourquoi ce salaud maintenait le capuchon d'Isabelle sur son visage.

Odile continua à la fixer. Mais elle ne voyait plus réellement Vicky.

Elle imaginait plutôt Isabelle qui marchait dans la rue obscure, sous la pluie. Son sac — bleu, comme celui d'Odile — sur l'épaule. Ses cheveux — presque de la même couleur que ceux d'Odile — qui dépassaient sous le capuchon d'un imperméable.

Un imperméable jaune fluorescent.

Celui d'Odile.

— Eh bien ? Tu ne termines pas ton récit ? demanda Vicky.

Odile replongea dans le présent.

Tout le monde l'observait. Charles plissait les yeux. François la regardait en fronçant les sourcils. Suzie tenait sa cuillère au-dessus d'un contenant de yogourt, immobile, en attendant qu'Odile poursuive.

Odile avala sa salive.

— Alors elle lui a griffé le bras, dit-elle. Il l'a poussée, elle est tombée et s'est cogné la tête. Vous connaissez probablement la suite.

Elle se leva vivement. Elle devait sortir pour mieux réfléchir.

— Écoutez, je viens de me rappeler que j'ai quelque chose à faire, dit-elle. À tout à l'heure.

Odile se retourna et quitta la cafétéria précipitamment.

Elle se réfugia aux toilettes, s'enferma dans une cabine et attendit. Elle entendit la cloche retentir et des pas se hâter dans le corridor. La porte des toilettes s'ouvrit et se referma une centaine de fois tandis qu'elle attendait en écoutant les filles qui parlaient des garçons, des professeurs, de cinéma et de devoirs.

La cloche retentit une deuxième fois et tout le monde regagna sa classe. Au bout d'un moment, Odile ouvrit la porte de la cabine et sortit.

Elle fit couler l'eau froide et s'en aspergea le visage. Tout en s'épongeant avec une serviette en papier rude, elle jeta un coup d'œil dans le miroir.

Elle était un peu pâle, mais c'était la même Odile Mousseau. De longs cheveux bruns, des yeux bleus, rien qui sortait de l'ordinaire.

À moins qu'elle ne revêtît un imperméable jaune fluorescent. Alors, elle se ferait remarquer, même le soir dans une rue sombre.

C'est exactement ce qu'avait fait Isabelle.

Quiconque avait attaqué Isabelle avait voulu, en fait, s'en prendre à *Odile*.

En serrant les côtés du lavabo, Odile s'approcha de la glace. « C'est toi qu'il voulait », pensa-t-elle en regardant son reflet.

Elle n'avait rien imaginé, après tout. Quelqu'un la poursuivait véritablement. Il avait fouillé son casier et son sac. Il avait téléphoné chez elle. Probablement qu'il était même entré dans la maison la veille.

Mais il ne se contenterait pas de la harceler. Elle s'était trompée à ce sujet. Il cherchait quelque chose.

Et soudain, Odile comprit ce que c'était.

En tournant le dos au miroir, Odile baissa les yeux sur son sac de toile usé.

Isabelle en possédait un comme celui-là. C'est quelque chose qui se trouvait à l'intérieur du sac que l'agresseur cherchait.

Qu'est-ce qui avait rendu Isabelle le plus furieuse ? Perdre son argent, ses cahiers ? Non. Sa cassette.

Néanmoins, ce n'est pas la cassette d'Isabelle que l'assaillant désirait obtenir. Il avait confondu Isabelle avec Odile.

C'est la cassette d'Olivier qu'il voulait.

Odile saisit son sac et sortit des toilettes. « Il n'y a pas une minute à perdre », se dit-elle. L'agresseur savait qu'il n'avait pas la bonne cassette ; voilà pourquoi il était venu chez elle la veille. Bouleversée à cause de ce qui était arrivé à Isabelle, Odile avait dû laisser la porte déverrouillée. La personne qui cherchait la cassette était entrée et n'avait rien trouvé, bien sûr. La cassette n'était pas chez elle ni dans son sac.

Isabelle l'avait rangée au local d'audiovisuel et il fallait qu'Odile la récupère.

Car il y avait quelque chose d'important sur cette cassette. Et quelqu'un cherchait désespérément à s'assurer que personne ne découvrirait jamais de quoi il s'agissait.

Chapitre 13

La cassette était bel et bien au local d'audiovisuel, comme l'avait dit Isabelle. Odile la trouva dans le grand placard à la lourde porte en métal où l'on rangeait les cassettes. Elle n'était pas identifiée, mais Odile la reconnut grâce à l'égratignure en forme de Z sur l'enveloppe en plastique.

Il y avait deux élèves dans le local lorsque Odile entra, mais ni l'un ni l'autre n'avaient semblé remarquer sa présence. Une fois la cassette enfouie au fond de son sac, Odile se rendit à son cours.

Elle eut du mal à se concentrer ce jour-là. Elle songea à ceux qui étaient au courant que madame Toupin lui avait remis la cassette d'Olivier : Suzie, Patrice, François et Charles. Elle revit plusieurs fois la cassette dans sa tête.

Le lavothon. Les gens qui marchaient dans la rue. Suzie et Patrice en train de danser à la fête du 24 juin.

Charles, l'air en colère.

Chaque fois qu'elle repensait à cette séquence, Odile avait envie de pleurer. Puis de crier. S'était-elle trompée à son sujet ? Elle savait qu'il avait changé.

Lui qui était plutôt froid et distant était devenu soudain amical après qu'elle lui eût donné le ballon de basket et parlé de la cassette. Il avait paru s'intéresser à elle. Il l'avait invitée à sortir. Était-ce seulement parce qu'il voulait la cassette?

Mais pourquoi en aurait-il eu absolument besoin? On le voyait se fâcher contre Olivier, rien de plus. Ce n'était pas une raison suffisante pour fouiller le casier de quelqu'un ou s'introduire dans sa maison. Encore moins l'agresser.

Toutefois, Odile n'avait pas regardé toute la cassette. Il y avait peut-être autre chose.

Elle savait qu'elle devait visionner le reste de la cassette. Cependant, personne n'avait fait réparer le magnétoscope chez elle. Après les cours, elle appela Isabelle du téléphone public installé près du gymnase et lui demanda si elle pouvait aller regarder la cassette chez elle. Isabelle était là, mais elle préparait sa valise.

— Ta valise? demanda Odile. Pourquoi? Je croyais que tu allais te reposer durant quelques jours.

— C'est ce que je vais faire, répondit Isabelle, mais chez mes grands-parents.

— Comment te sens-tu? demanda Odile.

— Bien. Très bien, en fait. Écoute, je dois partir dans quinze minutes. Je suis contente que tu aies téléphoné. On se verra lundi, d'accord?

Odile la salua et raccrocha, déçue. Elle ne pouvait pas attendre le retour d'Isabelle pour visionner la cassette.

Tout en tenant solidement la courroie de son sac,

Odile marchait dans le corridor. Elle approchait du local d'audiovisuel.

Pourquoi pas? se dit-elle. Elle pouvait très bien utiliser l'un des magnétoscopes qui s'y trouvaient. Personne ne lui poserait de questions si elle agissait normalement.

Il y avait plusieurs élèves qui travaillaient dans le local. Aucun d'eux ne lui prêta attention.

Odile marcha jusqu'à une table au fond de la pièce. Elle ne pouvait pas voir la porte de là. De hautes étagères en métal sur lesquelles étaient rangés les appareils défectueux lui bouchaient la vue. En revanche, si l'un des quatre élèves qui « savaient » et dont elle devait se méfier entrait, il ne la verrait pas non plus.

Odile sortit la cassette d'Olivier de son sac et l'inséra dans le magnétoscope.

— Tu ne verras pas grand-chose, dit une voix.

Saisie, Odile se retourna. C'était l'un des garçons qu'elle avait aperçus en entrant. Il la dévisageait.

— Qu'y a-t-il? demanda-t-il. Tu as sauté jusqu'au plafond.

— Rien... dit Odile. Tout va bien.

Elle lui sourit en s'efforçant d'avoir l'air calme et détendue.

— Pourquoi est-ce que je ne verrai pas grand-chose?

— Le téléviseur n'est pas allumé, fit-il remarquer en désignant l'appareil.

Odile regarda l'écran noir.

— Tu as raison.

Elle alluma le téléviseur et s'assit.

Juste au moment où elle allait commencer à visionner la cassette, le garçon se manifesta de nouveau.

— Sur quoi travailles-tu?

Il se tenait debout derrière elle.

Odile appuya sur la commande d'arrêt.

— Oh! ce n'est rien de très intéressant.

— C'est ton travail de fin de trimestre? demanda-t-il.

Puis, il rit.

— Quoi d'autre? On doit le remettre la semaine prochaine.

Il se mit alors à lui parler de son propre travail. Après avoir disserté durant un moment d'angles, d'éclairage et de coupures, il s'essouffla enfin.

— Bon, dit-il. Il faut que j'y aille. Bonne chance!

— Merci.

Odile croyait qu'il allait continuer à travailler, mais il ferma les appareils, rassembla ses livres et sortit.

Tout était silencieux.

Odile se leva et contourna les étagères.

Elle était maintenant seule.

Elle n'était pas certaine d'aimer ça.

Par contre, c'était peut-être mieux ainsi.

Odile décida de visionner la cassette en entier. Elle avait déjà vu le début, mais en étant très attentive, elle remarquerait peut-être un détail important.

Elle avait déjà regardé une bonne partie de la cassette lorsqu'elle crut entendre un bruit.

Elle appuya sur la commande d'arrêt.

Elle attendit. Rien.

Puis, elle se leva et s'éclaircit la voix. Silence.

Il n'y avait personne.

Pour se rassurer, Odile marcha jusqu'à la porte et l'entrouvrit. La porte grinça un peu. Odile la referma presque complètement. Si quelqu'un entrait, elle l'entendrait.

Elle regarda de nouveau la séquence où Charles se mettait en colère. Puis, un décor différent apparut.

On voyait le ciel. Quelques nuages moutonneux. La cime des arbres.

Tout s'embrouilla à l'écran durant un bref instant avant que l'image redevienne nette.

Olivier était allé au parc. Odile reconnut le petit pont de pierre au loin et le jet d'eau le long du sentier.

Elle vit des enfants qui jouaient, des chiens qui s'ébattaient et des gens qui déambulaient.

Olivier avait fait un panoramique, puis avait soudain immobilisé la caméra.

Odile plissa les yeux pour mieux voir. Au loin, elle aperçut une petite colline et deux taches de couleur. Elle attendit en se demandant si Olivier allait faire un gros plan.

Il le fit. Et Odile vit alors ce qu'il avait filmé ce jour-là au parc.

Deux personnes se trouvaient sur la colline, assises sur la pelouse, enlacées. Odile les reconnut.

C'était Suzie Godin, qui embrassait un garçon avec passion.

Mais ce n'était pas Patrice, avec qui elle sortait depuis si longtemps.

C'était David Truchon, le garçon qu'Odile avait aperçu avec elle dans le stationnement le jour où Isabelle avait été agressée.

Chapitre 14

Odile appuya sur la commande de pause et fixa l'image sur l'écran.

Suzie et David?

Elle pouvait presque entendre Suzie lui dire en parlant du film d'Olivier: «Je me demande comment tu peux supporter de le visionner.» Elle avait déclaré qu'elle ne voulait pas le regarder de peur que cela lui rappelle trop de souvenirs.

Croyait-elle sérieusement qu'Odile allait lui dire: «Oui, tu as raison, je vais jeter la cassette»? Peut-être.

Mais en constatant qu'Odile conservait la cassette, Suzie avait… Qu'avait-elle fait?

Odile se souvint de son rendez-vous avec Charles. Pendant qu'elle l'attendait, elle avait entendu Suzie dire à quelqu'un au téléphone: «Tu m'as dit que tu t'en chargerais.»

C'était le soir où, la porte du garage étant ouverte, Odile avait cru qu'on était entré chez elle. Par ailleurs, la cassette n'avait pas été volée. Si quelqu'un avait fouillé la maison, il aurait dû trouver la cassette. Mais peut-être pas, à bien y penser. La cassette n'était pas identifiée, après tout.

De toute façon, il ne pouvait pas s'agir de Suzie. Il fallait que ce soit la personne à qui elle avait téléphoné.

David Truchon. Suzie, redoutant que Patrice n'apprenne ce qui s'était passé, lui avait-elle demandé de « s'en charger » ?

D'autre part, Suzie avait très bien pu fouiller son sac le jour où Odile attendait Isabelle au local d'audiovisuel. Elle était venue s'excuser de s'être emportée au secrétariat et avait fixé le sac d'Odile. Parce qu'il était usé ou pour voir si la cassette d'Olivier s'y trouvait ?

Tous les morceaux du casse-tête s'emboîtaient.

Sauf peut-être en ce qui concernait David. Aurait-il vraiment attaqué Isabelle seulement pour mettre la main sur la cassette ?

Et comment Suzie aurait-elle su qu'Olivier les avait filmés ? Lui avait-il dit ? Ils étaient bons amis. Suzie avait dû lui demander d'effacer cette séquence et il avait probablement accepté. Mais il était mort peu de temps après et la cassette s'était retrouvée entre les mains d'Odile. Suzie avait dû paniquer.

Odile soupira, ne sachant plus très bien ce qu'elle devait croire.

Elle décida de continuer à visionner la cassette. Elle allait appuyer sur la commande de lecture lorsque sa main s'immobilisa.

Elle avait entendu un bruit. Cette fois, elle en était certaine.

Ce n'était pas le grincement de la porte, mais plutôt un clic, comme lorsqu'on ferme un appareil.

Odile décida d'agir normalement.

— Il y a quelqu'un? demanda-t-elle.

C'était peut-être le garçon avait qui elle avait bavardé tout à l'heure. Ou le concierge.

Personne ne répondit.

Pourtant, Odile était convaincue d'avoir entendu quelque chose.

Elle se leva et fit le tour des étagères.

Personne.

Elle ouvrit la porte et jeta un coup d'œil dans le corridor.

Personne.

Puis, elle regarda du côté du vaste placard. Un élève s'y cachait peut-être ou était simplement venu chercher une cassette.

Odile s'approcha doucement en retenant son souffle. La lumière dans le placard était allumée, mais personne ne se trouvait à l'intérieur.

Au moment où elle allait retourner s'asseoir, Odile se rappela quelque chose : la copie. La mère d'Isabelle avait mentionné que sa fille avait fait une copie de la cassette et qu'elles étaient en lieu sûr.

Odile retourna dans le placard. Elle repéra l'endroit où Isabelle avait rangé la cassette originale ; il y avait une autre cassette à côté. Elle n'était pas identifiée.

Sur la pointe des pieds, Odile tendit le bras pour s'emparer de la cassette sur la tablette du haut.

C'est alors qu'elle entendit un bruit.

Pas un clic cette fois. Plutôt une sorte de grincement.

Elle se retourna.

La lourde porte de métal se referma.

— Hé !

Odile saisit la poignée, mais elle refusa de tourner.

— Hé ! cria-t-elle de nouveau en frappant la porte de la paume de sa main. Je suis là !

En dépit de tout ce qu'elle venait d'apprendre, elle croyait sincèrement avoir été enfermée par mégarde.

Mais elle ne le crut pas longtemps.

— Hé ! hurla-t-elle en martelant la porte de ses poings.

Aucune réponse.

Odile prêta l'oreille. Quelqu'un marchait d'un pas léger dans le local.

Appuyée contre la porte, Odile retint son souffle et écouta.

Elle entendit un clic. Bien sûr. La commande d'éjection. Odile put presque voir la cassette d'Olivier glisser dans une main avide.

La main de qui ?

Des pas. Plus rapides cette fois. Il — elle — partait.

Furieuse, Odile tambourina contre la porte.

— Écoute, salaud ! Tu ferais mieux de courir, car quelqu'un m'entendra et tu te feras pincer ! criat-elle. Va-t'en, crapule !

Soudain, la lumière dans le placard s'éteignit.

Presque tout de suite après, Odile entendit un

grincement et comprit qu'on avait refermé la porte du local. Elle ne pouvait entendre les pas qui s'éloignaient dans le couloir, mais elle les suivit en esprit jusqu'à l'extérieur.

Si elle avait pu les suivre, Odile aurait constaté qu'elle avait raison. Après avoir enfoui la cassette dans la poche de son blouson, quelqu'un sortit de l'école d'un pas vif et s'éloigna en souriant dans l'air froid de novembre.

Frustrée, Odile se retourna et s'adossa à la porte.

Si au moins elle y voyait quelque chose. Elle chercha un interrupteur en faisant glisser ses mains sur le mur, mais en vain.

Ce n'était pas tellement important d'avoir de la lumière, après tout. Ce qui comptait, c'était de sortir de là.

Mais à moins qu'un élève vînt travailler ou que le concierge s'amenât pour faire le ménage, elle resterait prisonnière.

Pour combien de temps?

Si elle n'était pas rentrée pour le souper, ses parents s'inquiéteraient. Sa mère, du moins. Son père était en voyage pour affaires. Voilà pourquoi elle était venue à l'école avec la voiture de son père. Sa mère téléphonerait probablement à Isabelle, qui n'était pas là. Puis à d'autres élèves, mais personne ne saurait où elle était.

Appellerait-elle la police ensuite? Peut-être. Ou peut-être le directeur de l'école. De toute façon,

Odile serait retrouvée le lendemain quand l'école ouvrirait ses portes.

Sauf que le lendemain, il n'y avait pas d'école.

Les professeurs assistaient à une importante réunion dans la salle de conférence d'un hôtel de la région.

Peu importe. Ses parents entreprendraient des recherches ce soir. Ce serait peut-être long avant qu'on la retrouve, mais on la retrouverait.

Odile devait donc se résigner à passer la nuit et une partie de la matinée dans le placard.

Elle s'appuya contre la porte, se laissa glisser et entoura ses genoux de ses bras.

Si au moins il ne faisait pas aussi noir.

Il faisait froid aussi. Le placard était mal ventilé. On y étouffait.

Avec un sursaut, Odile se releva. C'était normal qu'elle commençât à manquer d'air. Isabelle lui avait expliqué que le placard avait été construit de façon que l'humidité et la poussière n'y pénètrent pas. Odile se rappelait avoir ri en faisant remarquer qu'on traitait les cassettes comme de véritables pierres précieuses. Ça n'avait plus rien d'amusant, maintenant.

Le placard ne pouvait tout de même pas être parfaitement étanche, n'est-ce pas ?

Combien de temps pouvait-on survivre dans un tel espace avec aussi peu d'air ?

Plus elle pensait à l'air, plus Odile avait du mal à respirer. Malgré le froid, elle sentait la sueur perler sur son front. Elle se retourna et martela la porte de ses poings. Il n'était probablement que dix-sept heures, dix-sept heures trente. L'entraînement de basket-ball n'était peut-être pas terminé. Si elle frappait suffisamment fort, on l'entendrait peut-être.

Odile continua à cogner dans la porte et hurla à tue-tête. Une fois, deux fois, trois fois. Elle haletait.

Au bord des larmes, Odile appuya sa tête contre la porte. Elle respirait trop vite et gaspillait de l'air. Il fallait qu'elle se calme.

Elle inspira et expira à plusieurs reprises. De plus en plus doucement.

Soudain, Odile entendit un bruit.

Un grincement.

On avait ouvert la porte du local.

Chapitre 15

Odile eut d'abord envie de crier, mais quelque chose la retint. Était-il revenu ? Ou était-elle revenue ? se dit Odile en songeant à Suzie. Avait-elle deviné qu'Isabelle, très consciencieuse, avait fait une copie de la cassette d'Olivier ?

Mais la personne qui l'avait enfermée, de crainte d'être vue, ne serait jamais revenue. De plus, Odile voulait sortir. Elle était prête à courir le risque.

— Hé ! cria Odile en frappant la porte de ses poings. Hé ! je suis enfermée là-dedans !

Comme par magie, la lumière s'alluma.

Puis, une voix étouffée dit quelque chose.

La porte s'ouvrit enfin.

Charles se tenait là.

Odile sortit précipitamment du placard.

— J'ai cru reconnaître ta voix, dit Charles au moment où Odile se retournait pour lui faire face. Qu'est-ce qui s'est passé ? Comment t'es-tu retrouvée enfermée là-dedans ? Tu n'as rien ?

Odile entendit à peine ses questions. Les idées se bousculaient dans sa tête. Qu'est-ce que Charles faisait là? Par quel hasard était-il passé devant le local d'audiovisuel? Et pourquoi n'était-il pas à son travail?

— Odile? demanda Charles en la dévisageant d'un air curieux. Qu'est-ce qui se passe?

Odile rejeta ses cheveux en arrière et s'essuya le front.

Devait-elle lui faire confiance? se demanda-t-elle. Non. C'était peut-être lui qui...

— Je...

Odile s'éclaircit la voix.

— Isabelle m'a demandé de venir ranger une de ses cassettes et pendant que j'étais dans le placard, la porte s'est refermée.

Charles ouvrit toute grande la porte du placard. Quand il la lâcha, elle ne se referma pas. Il se tourna vers Odile.

— Tu es certaine que c'est bien ce qui s'est passé? demanda-t-il.

— Oui... en fait, non! Comment pourrais-je en être sûre? Tout ce que je sais, c'est que la porte s'est refermée.

Charles jeta un coup d'œil vers la porte encore une fois. Puis, il dévisagea Odile en fronçant les sourcils.

— Pourquoi me fixes-tu comme ça?

Odile sentit son visage s'enflammer. Elle cligna des yeux et détourna le regard.

— Peu importe. Je suis très contente d'être sortie de là. Qu'est-ce que tu es venu faire ici, au fait? demanda-t-elle en espérant qu'elle n'avait pas l'air de le soupçonner.

Charles la regarda en fronçant les sourcils.

— Je voulais te parler.

— Oh! À quel sujet? demanda-t-elle en reculant d'un pas.

Il s'avança vers elle, puis s'arrêta et fixa quelque chose. Odile suivit son regard. Il fixait le blouson d'Odile sur la chaise ainsi que son sac sur le sol. Il savait qu'elle n'était pas venue seulement pour ranger une cassette. Mais si c'était lui qui l'avait enfermée dans le placard, il le savait déjà, de toute manière.

Il quitta enfin le sac des yeux.

— Je voulais te parler de quelque chose de personnel.

Tout à coup, Odile eut peur qu'il avoue. Elle ne pouvait pas le laisser faire. S'il lui racontait tout, que lui ferait-il ensuite?

Rapidement, Odile saisit son blouson et son sac.

— Il faut que je sorte d'ici, Charles, dit-elle. J'ai besoin d'air.

Elle passa à côté de lui et retint son souffle de peur qu'il ne lui agrippe le bras.

Néanmoins, Charles ne fit pas un geste, et Odile courut presque jusqu'à la porte.

— Odile!

— Si tu voulais me parler, tu n'avais qu'à m'appeler de ton travail. N'est-ce pas là que tu devrais être?

— Je t'ai appelée. Il n'y avait pas de réponse.

— Je n'ai pas de cours d'audiovisuel! lâcha Odile. Comment as-tu su où me trouver?

Charles fit un pas vers elle. Il ouvrit la bouche

pour répondre, mais Odile tourna les talons et se mit à courir dans le corridor, puis à l'extérieur.

Elle ne se sentit en sécurité qu'au moment où elle gara la voiture de son père dans le garage.

Vendredi. Il n'y avait pas d'école. Odile passa l'avant-midi à essayer de dormir. À s'efforcer d'oublier ce qui lui était arrivé la veille.

Quand elle se leva enfin, elle prit une douche et descendit dans la cuisine. Elle but un verre de jus d'orange tout en réfléchissant. Il fallait qu'elle décide ce qu'elle allait faire.

La copie de la cassette d'Olivier se trouvait probablement encore à l'école. Si Charles était le coupable et s'il était revenu au local le jour précédent dans l'espoir de mettre la main sur la copie, il ne l'avait sûrement pas trouvée. Il y avait des centaines de cassettes dans le placard et elles n'étaient pas toutes identifiées. Quant aux trois autres suspects, ils ne savaient peut-être pas encore qu'il existait une copie.

Elle pouvait détruire la cassette et faire en sorte que les quatre personnes impliquées apprendraient ce qu'elle avait fait. Ça réglerait tout. Elle ne serait plus en danger, personne d'autre ne serait blessé et l'histoire serait terminée.

En revanche, elle ne saurait jamais pourquoi quelqu'un voulait tant cette cassette. Et elle ne saurait jamais *qui* la voulait.

Une heure plus tard, Odile gara la voiture de son

père dans le stationnement de l'école, où il n'y avait que trois autres véhicules.

En approchant de l'auditorium, Odile entendit des rires et passa la tête dans l'embrasure de la porte. Des élèves répétaient une pièce de théâtre. Elle poursuivit son chemin.

La porte du local d'audiovisuel était fermée, mais déverrouillée. La pièce était sombre. Odile alluma les lumières, ferma la porte — qui ne grinçait plus, remarqua-t-elle — et fit le tour du local pour s'assurer qu'elle était seule.

Satisfaite, elle retourna vers la porte et la verrouilla.

La copie de la cassette d'Olivier était toujours là. Du moins, elle croyait qu'il s'agissait bien de la copie.

Elle s'installa à la même table que le jour précédent.

Le lavothon apparut à l'écran. C'était bien la copie qu'elle cherchait.

Odile songea à la détruire, mais changea d'avis. Il s'était passé trop de choses à cause de cette cassette. Il fallait qu'elle découvre pourquoi.

Après la séquence de Suzie et David, il y avait autre chose. Des enfants qu'Odile ne connaissait pas jouaient au frisbee.

Puis, Odile apparut en train de râteler des feuilles mortes. C'était quelques jours avant la mort d'Olivier. Elle ne s'était pas aperçue qu'il l'avait filmée. Beaucoup de neige envahit l'écran et Odile crut qu'il n'y avait rien d'autre sur la cassette. Elle allait appuyer sur la commande d'arrêt lorsqu'elle aperçut quelque chose.

L'écran était sombre et Odile ne reconnut pas tout de suite l'endroit où la séquence avait été filmée. Olivier marchait et la caméra était légèrement secouée, mais Odile distingua des arbres.

Puis, les arbres se firent plus rares et Odile reconnut l'endroit. Ce n'était pas très loin de chez eux. La rue dans laquelle ils habitaient était un cul-de-sac et débouchait sur une petite forêt. Quand ils étaient enfants, Olivier et Odile l'avaient nommée la forêt des hautes branches et y avaient tracé un sentier qui menait au sommet d'une colline.

C'est du haut de cette colline qu'Olivier avait filmé. Il avait probablement voulu faire un panoramique. La colline dominait un chemin de terre sinueux que presque personne n'empruntait.

Ce soir-là, pourtant, quelqu'un y marchait. En effet, Odile aperçut une silhouette.

Odile put voir qu'il s'agissait d'un homme portant une casquette rouge, un blouson brun et des jeans. Il avait la tête baissée et Odile ne vit pas son visage. Il marchait lentement, d'un pas traînant. Presque en zigzaguant.

Odile remua sur sa chaise; c'était plutôt ennuyeux.

Olivier avait dû être du même avis, car il filma les arbres durant un moment.

Soudain, la caméra balaya la route.

Une voiture venait dans la direction de l'homme.

La séquence était parfaitement claire. C'était arrivé un mois auparavant, mais Odile avait l'impression que cela se déroulait maintenant. Elle fixa l'écran, horrifiée, et vit ce dont Olivier avait été témoin quelques jours seulement avant sa mort.

Chapitre 16

Olivier avait dû entendre la voiture sur la route. Voilà pourquoi il s'était retourné brusquement.

C'était arrivé très vite.

L'homme marchait toujours en titubant au milieu du chemin. La voiture roulait vite, trop vite pour freiner.

Bien qu'il n'y eût pas de bande sonore, Odile put presque entendre le grincement des freins, le bruit sourd quand l'aile de la voiture heurta l'homme, son cri lorsqu'il fut projeté dans les airs et atterrit durement sur le bord de la route. Elle imagina la respiration saccadée du conducteur et le craquement du gravier quand la voiture s'immobilisa enfin en dérapant.

Elle crut que c'était fini. Olivier avait dû jeter la caméra par terre pour porter secours à l'homme. Elle ne verrait plus rien.

Pourtant, la caméra filmait toujours.

Pourquoi ? Odile n'arrivait pas à le croire. Pourquoi Olivier n'avait-il pas couru vers la victime ?

Quelques secondes plus tard, elle comprit.

L'homme sur le bord de la route ne bougeait pas. Mais la voiture, si. Le conducteur recula, puis passa en première vitesse et s'éloigna.

L'écran devint noir. Odile comprit qu'Olivier était allé aider l'homme, victime d'un chauffard.

Cependant, le chauffard ne lui était pas inconnu. Lorsque l'auto avait reculé, Odile avait pu distinguer son visage.

Olivier, lui, avait dû le reconnaître immédiatement. Odile pouvait presque ressentir l'horreur qui l'avait sans doute submergé tandis qu'il filmait un ami coupable de délit de fuite.

Un ami prénommé François.

Odile éteignit tout. Elle ferma les yeux, mais revit la séquence plusieurs fois dans sa tête : la démarche incertaine de l'homme, la vitesse de la voiture bleue, le regard fixe de François qui avait été trop pressé de s'enfuir pour remarquer Olivier, en haut sur la colline.

L'homme était mort, se souvint Odile. En lisant le journal un matin, sa mère en avait parlé. Un délit de fuite. La police n'avait aucune piste.

Mais Olivier, lui, savait qui était le coupable et Odile aussi, maintenant. François Ostiguy, le premier de classe, le garçon accompli, celui qui n'échouait jamais.

François avait dû être terrifié, se dit Odile. Cet accident pouvait gâcher sa vie. Il s'était probablement dit que c'était plus sûr de s'enfuir et d'espérer que personne n'en saurait jamais rien.

Mais Olivier avait été témoin de tout et Odile

comprit qu'il avait dû le dire à François. Bien sûr. Olivier n'était pas parfait, mais il n'aurait pas laissé un homme mourir sans rien dire.

Toutefois, Olivier était l'ami de François. Il lui avait probablement raconté ce qu'il avait vu et enregistré, persuadé que François se rendrait.

Peut-être que celui-ci l'aurait fait si Olivier n'était pas mort.

Désormais, François n'avait plus rien à craindre.

Sauf qu'il n'avait pas encore mis la main sur la cassette. En songeant à la nuit au cours de laquelle elle s'était enfin décidée à regarder les affaires d'Olivier, Odile se souvint qu'elle avait cru voir de la lumière chez Olivier.

Elle avait cru que c'était son imagination. Ou des fantômes.

Maintenant, elle comprenait. C'était François, cherchant la cassette qui pouvait gâcher sa vie, sans se douter qu'elle se trouvait dans la maison voisine, chez Odile.

Puis, il avait appris que c'était Odile qui l'avait et avait tout fait pour l'obtenir. Il y était enfin parvenu la veille. Il devait maintenant se croire sauvé.

Mais il ne l'était pas, car Odile avait toujours une copie.

Odile se prit la tête dans les mains en souhaitant n'avoir jamais visionné la cassette. Maintenant, elle ne pouvait pas faire semblant de n'avoir rien vu. Il fallait qu'elle fasse quelque chose. Mais quoi ?

Elle ne pouvait tout simplement pas en parler à François. Après ce qu'il avait fait, elle avait peur de lui.

Elle allait plutôt rentrer et tout raconter à ses parents. Sa mère lui conseillerait d'appeler la police et c'est probablement ce qu'elle ferait. Mais pas tout de suite. Elle voulait d'abord rentrer.

En soupirant, elle saisit la cassette et son blouson, se leva et contourna l'étagère.

François se tenait là, à côté de la porte.

Il ne dit rien et ne bougea pas.

Le cœur d'Odile battait à tout rompre et elle avait la bouche sèche. Comment était-il entré? Elle avait verrouillé la porte.

Comme s'il lisait dans ses pensées, François leva la main et lui montra une clé. Il parla enfin.

— Quand on est premier de classe, on nous fait confiance.

Lorsqu'il avait levé la main, sa manche avait glissé et Odile avait aperçu trois égratignures sur son avant-bras.

Il enfouit la clé dans la poche de son jean, mais demeura ensuite immobile.

Odile recula d'un pas et heurta l'étagère derrière elle. Elle ne quittait pas François des yeux, ne sachant pas ce qu'il allait faire.

— Allez, Odile, dit-il. Je sais que tu as visionné la cassette. Ça se voit sur ton visage.

— Comment as-tu deviné que j'étais ici? demanda-t-elle. Comment as-tu su qu'il existait une copie?

François soupira.

— Je n'étais pas certain qu'il y avait une copie, dit-il. Je connais bien Isabelle, cependant. Elle fait toujours des copies. Après mon départ, hier, j'ai réfléchi à tout ça et je me suis demandé ce que tu pouvais bien chercher dans le placard.

— Qu'as-tu fait ? Tu m'as suivie jusqu'ici ?

Il acquiesça.

— En fait, j'étais déjà en route pour l'école. En te voyant dans le stationnement, j'ai décidé d'attendre et de revenir plus tard.

Il soupira encore une fois.

— Je crois que j'ai trop attendu. Si j'étais arrivé un peu plus tôt, tu n'aurais peut-être pas vu... ce que tu viens de voir.

— N'empêche que je ne t'aurais quand même pas remis la cassette, déclara Odile. Dès l'instant où tu m'aurais demandé de te la donner, j'aurais su que c'était toi. Mais avais-tu vraiment l'intention de me demander la permission avant de t'en emparer ? ajouta-t-elle. Ou avais-tu prévu de m'enfermer dans le placard de nouveau ?

François jeta un coup d'œil vers le placard, dont la porte était grande ouverte, comme le jour précédent.

— Je ne crois pas que ça marcherait une deuxième fois, dit-il en esquissant un sourire.

Son sourire rendit Odile furieuse et elle se mordit la lèvre pour se retenir de l'injurier.

— Qu'est-ce qui s'est passé ? demanda-t-elle aussi calmement que possible.

— C'est ce que j'allais te demander, dit François. Qui t'a laissée sortir, le concierge ?

— C'est Charles qui m'a trouvée ; mais ce n'est pas ce que j'ai voulu dire.

Odile inspira profondément.

— Qu'est-il arrivé ce jour-là, en voiture ? Pourquoi ne t'es-tu pas arrêté après avoir renversé cet homme ?

Il secoua la tête avec impatience.

— Tu sais très bien pourquoi, répondit-il. Je ne peux pas laisser cet accident gâcher ma vie. J'ai déjà été accepté dans quatre collèges et obtenu autant de bourses. J'ai l'embarras du choix. Tout va bien pour moi. Mais s'il fallait que cette histoire soit mise au jour...

— Mais c'était un accident ! dit Odile. J'ai tout vu, tu te souviens ? Il marchait au beau milieu de la route !

— Et je roulais trop vite, rétorqua François. Je n'ai pas pu freiner ni donner un coup de volant parce que j'allais trop vite. La police l'aurait découvert immédiatement. Je roulais seul sur ce chemin et n'avais pu l'éviter ? Allons ! on m'aurait ri au nez et arrêté sur-le-champ. Et pas seulement pour excès de vitesse.

— Tu ne pouvais pas en être certain.

— Non, et c'est pourquoi j'ai décidé de m'enfuir, renchérit François.

Odile ne savait plus quoi dire.

— Il était mort, Odile. Même si je m'étais arrêté, je n'aurais pu l'aider.

— Comment le sais-tu ?

— C'est Olivier qui me l'a dit.

Odile le dévisagea.

— Olivier est descendu de la colline après mon départ, continua François. L'homme était mort. Olivier me l'a confirmé.

143

— Il t'a également dit autre chose, n'est-ce pas ?
Il a admis t'avoir filmé. Je parie qu'il t'a dit de te
rendre au poste de police.

— C'est exact, mais ce n'est pas tout. Il a ajouté
que si je n'y allais pas, il le ferait lui-même.

« Bien sûr, se dit Odile. Olivier aurait été incapable de tout oublier, même pour sauver un ami.
Pauvre Olivier ! pensa-t-elle soudain. Quelle décision difficile il a dû prendre ! »

— Alors tu lui as dit que tu irais, n'est-ce pas ?
demanda Odile d'un ton amer. Puis, Olivier est mort.
Comme ça tombait bien ! Tu as dû te réjouir.

— Non, je ne me suis pas réjoui, dit François
doucement.

— Oh ! c'est vrai ! j'oubliais, dit Odile. La cassette. Il fallait que tu mettes la main dessus.

Elle parlait rapidement et avec colère.

— Alors tu as fouillé sa maison et en ne la trou-
vant pas, tu as sans doute paniqué. Et si ses parents
avaient décidé de la visionner ? Ensuite, je suis
entrée en scène en t'annonçant que la mère d'Olivier
m'avait remis la cassette. Alors tu as fouillé ma
maison, mon casier, mon sac. Tu as même agressé
mon amie ! Isabelle portait mon imperméable. C'est
à cause de cela que j'ai compris qu'on cherchait à
s'en prendre à moi, ou plutôt, qu'on voulait quelque
chose que j'avais en ma possession : la cassette.
Odile prit une grande inspiration. Elle tenait toujours cette cassette dans sa main. Elle la serra plus
fort.

— Pourquoi ne me la donnes-tu pas, Odile ?

— Parce que je sais ce qu'elle contient, répondit Odile.

— Et alors ? C'est arrivé il y a des semaines. Cet homme est mort !

La voix de François monta.

— C'était un ivrogne, de toute façon. Je l'ai lu dans le journal. Pourquoi penses-tu qu'il titubait comme ça ? Qu'est-ce que ça change aujourd'hui ?

— Je… je ne sais pas ! s'écria Odile.

Ni l'un ni l'autre n'avaient bougé. François se tenait toujours près de la porte. Odile était adossée à l'étagère. Ils demeurèrent silencieux durant un moment.

Enfin, François rompit le silence.

— Tu es exactement comme Olivier, dit-il tristement.

— Qu'est-ce que tu veux dire ?

— Têtus. Vous êtes tous les deux têtus. Ou plutôt, moralisateurs. J'ai supplié Olivier de me remettre la cassette, j'ai imploré son silence. Et qu'a-t-il dit ? « Oh ! non ! François, je ne peux pas faire ça ! Ce ne serait pas bien ! »

— Olivier ne parlait jamais comme ça, dit Odile. Mais de toute façon, il aurait eu raison.

— Tu vois ?

François rit presque.

— Vous êtes moralisateurs tous les deux.

Le sourire de François disparut alors.

— Ça m'a mis hors de moi, déclara-t-il. Il savait qu'il gâcherait ma vie, mais continuait à vouloir jouer les honnêtes citoyens et à me dire quoi faire.

Odile avala sa salive, nerveuse.

— Tu es pareille à lui, Odile, dit François en la regardant. Je m'y attendais, mais j'espérais que tu verrais les choses sous un autre angle.

— Je ne peux pas, murmura Odile.

— C'est exactement ce qu'Olivier m'avait répondu.

François détourna le regard durant un moment, comme s'il revoyait Olivier. Puis, il plongea ses yeux dans ceux d'Odile.

— Et regarde ce qui lui est arrivé, Odile.

Chapitre 17

Les mots de François lui firent l'effet d'un coup de poing dans le ventre.

Elle sentait le regard de François posé sur elle tandis qu'elle cherchait quelque chose à dire. Elle ouvrit la bouche, la referma et secoua la tête. Elle se trompait sûrement. Il n'avait certainement pas voulu dire ça. Il essayait seulement de l'effrayer.

Odile leva la tête et, en voyant l'expression de François, sut qu'elle avait bien compris.

— Tu l'as tué? demanda-t-elle tout bas. Tu as tué Olivier?

— Pas exactement. Ce n'est pas tout à fait comme ça que je vois les choses.

— Comment, alors? demanda Odile d'une voix plus forte. Ne joue pas sur les mots avec moi, François! Dis-moi ce qui s'est passé!

— Je ne voulais pas en parler, mais autant tout te raconter.

Il croisa les bras et s'appuya contre la porte.

— Bon.

François s'éclaircit la voix.

— Olivier m'a téléphoné le lendemain de... de l'accident. C'était un dimanche.

Odile se souvenait qu'Olivier était mort un dimanche.

— Il a dit qu'il voulait discuter, poursuivit François. Il m'a demandé d'aller le rejoindre. Il refusait d'en dire plus au téléphone. Il paraissait assez tendu, mais je n'ai pas deviné de quoi il pouvait s'agir. J'étais également nerveux, bien sûr, et je lui ai demandé si ça pouvait attendre. Il m'a dit que non, que c'était trop important.

François enfonça ses mains dans ses poches.

— Alors nous sommes allés nous promener.

«Sur ce talus élevé qui s'éboulait», pensa Odile en frissonnant.

— Il m'a d'abord posé quelques questions — comment j'allais, ce que je faisais, des trucs de ce genre. Je crois qu'il voulait me donner la chance de tout avouer. Je lui ai dit que tout allait bien, mais à ce moment, je savais déjà qu'il était au courant.

— Alors tu le lui as dit? demanda Odile.

François secoua la tête.

— Non. J'espérais que si je lui donnais des réponses évasives, il changerait d'idée et se tairait. Mais il ne l'a pas fait. Il a fini par me dire qu'il savait tout.

Odile avala difficilement sa salive.

— Et que s'est-il passé ensuite?

— Nous avons discuté, répondit François. J'ai voulu lui raconter ce qui s'était passé, mais il m'a dit qu'il avait tout vu. Il m'avait même filmé. Il savait que c'était un accident, malgré le fait que je roulais trop vite.

— Tu vois ? ne put s'empêcher de dire Odile. Tout le monde l'aurait compris, même la police.

François ne releva pas cette remarque.

— Je lui ai parlé de mes études, de mes ambitions, de ma vie. Il a dit qu'il comprenait. Il n'arrêtait pas de dire que tout se passerait bien.

François grimaça.

— Durant un instant, j'ai cru qu'il était de mon côté.

— Il *l'était*, dit Odile.

— Oh ! bien sûr, dit François avec sarcasme. Il m'a dit de tout raconter à la police. Sinon, c'est lui qui le ferait. Tu appelles ça être de mon côté ?

— Il était ton ami, insista Odile.

Le regard de François erra encore une fois.

— Je le sais. Mais il avait tort. Ce n'est pas lui qui était dans le pétrin. Il n'aurait pas parlé comme il l'a fait si la même chose lui était arrivée.

« Olivier n'avait pas tort », pensa Odile. Mais elle ne discuta pas. À quoi bon ?

— Je lui ai dit qu'il se trompait, dit François. J'ai eu recours à tous les arguments qui me venaient à l'esprit. Je l'ai même supplié de ne rien dire. Il était très en colère. Moi aussi. Nous criions, mais il n'y avait personne à proximité. On ne pouvait pas nous entendre.

Odile avala de nouveau sa salive. Elle était sur le point d'apprendre comment Olivier était mort.

— Nous criions, répéta François. Nous gesticulions et hurlions. Puis — je ne sais plus très bien comment tout a commencé — nous nous sommes bousculés. Nous étions sur le point de nous battre. Il m'a poussé. Je l'ai poussé à mon tour.

Il s'interrompit tout à coup.

— Il a perdu l'équilibre ? demanda Odile. Il a perdu l'équilibre et est tombé. C'est ce qui s'est passé ?

François hocha la tête et prit une profonde inspiration.

— C'était un accident ! murmura-t-il d'une voix rauque. Si Olivier était là, il te dirait la même chose. C'était un accident !

Odile le croyait. Elle avait beaucoup de chagrin. Pour Olivier. Même pour François, qui avait dû vivre avec deux terribles secrets.

Mais quand Odile leva les yeux et regarda François, sa tristesse disparut. Il n'y avait plus de secrets maintenant. Elle les connaissait tous les deux. Elle tressaillit de frayeur.

François retira ses mains de ses poches.

— J'en ai assez, dit-il. J'en ai assez de m'inquiéter et de discuter.

Il tendit la main.

— Pourquoi ne me donnes-tu pas la cassette, Odile ?

La main d'Odile était moite, mais elle ne lâcha pas prise.

— Donne-la-moi et tout se passera bien, dit Olivier, la main toujours tendue.

« Tout se passera bien ? pensa Odile. Comme dans le cas d'Olivier ? » Elle pouvait remettre la cassette à François, mais que lui arriverait-il par la suite ? Il ne lui ferait pas confiance. Il avait tué pour un secret. Il ferait la même chose pour deux.

— Donne-la-moi, Odile, répéta François.

— Je…

Odile secoua la tête. Elle balaya la pièce du regard. Aucune issue.

— Je ne peux pas, dit-elle.

François laissa tomber le bras.

— Très bien, alors.

Durant une fraction de seconde, Odile crut qu'il allait tourner les talons et sortir.

Mais, bien sûr, il n'en fit rien. Il ferma plutôt la porte et s'avança vers elle.

Odile tenta de reculer, mais les étagères se trouvaient derrière elle. Elle se déplaça en longeant les étagères qui chancelaient, puis, toujours à reculons, atteignit la table où elle avait visionné la cassette.

François venait toujours vers elle. Lentement, mais d'un pas régulier. Il se tenait maintenant devant les étagères.

Sans lâcher la cassette, Odile fonça et poussa une étagère dans l'espoir de la faire tomber sur lui. Mais plusieurs appareils étaient posés sur les tablettes et l'étagère bougea à peine.

Tandis que François s'approchait, Odile courut à l'autre bout de la pièce. Soudain, la cassette lui échappa et tomba sur le plancher.

François l'entendit et se mit à marcher plus vite.

Hors d'haleine, Odile donna un coup de pied dans la cassette, qui glissa sous une autre table.

«Laisse-lui la cassette et sauve-toi», se dit Odile.

Mais François était juste derrière elle. La cassette pouvait attendre. Il devait d'abord s'occuper d'Odile.

Odile bondit à l'autre bout du local, mais trébucha contre un câble et tomba à genoux.

En se relevant tant bien que mal, elle sentit la main de François qui cherchait à l'agripper. Ses doigts effleurèrent ses cheveux. Elle cria et fit un bond de côté vers le mur du fond.

Il se trouvait maintenant au milieu de la pièce et avançait toujours dans sa direction.

Odile se déplaçait de côté, les bras plaqués contre le mur. Haletante, elle tenta de crier de nouveau, mais aucun son ne sortit.

François paraissait parfaitement calme et respirait normalement. Jusqu'au moment où elle croisa son regard. Elle perçut alors sa détresse.

Odile se mit à tâtonner le long du mur en espérant trouver quelque chose, n'importe quoi, qu'elle pourrait lui lancer.

Enfin, ses doigts se refermèrent sur un objet rond et lisse. Elle se risqua à jeter un coup d'œil. C'était un trépied en métal.

Odile le saisit. Il était lourd et peu maniable, mais si elle arrivait à frapper François avec, elle aurait peut-être le temps de s'enfuir.

En voyant ce qu'elle tenait, François hâta le pas.

Odile s'éloigna du mur et brandit le trépied derrière elle, comme si elle avait tenu un bâton de baseball. Puis, elle s'élança de toutes ses forces en visant la tête de François.

Le trépied était trop lourd. Odile ne put s'exécuter assez rapidement et François esquiva facilement le coup.

Mais en se penchant, il perdit l'équilibre. Odile comprit alors qu'elle avait une chance.

Elle laissa tomber le trépied, posa ses mains à plat dans le dos de François et poussa.

François trébucha et essaya de se retourner. Odile le poussa de nouveau, assez fort cette fois pour qu'il tombe dans le placard dont la porte était grande ouverte.

En poussant un cri, Odile ferma brutalement la porte. Elle entendit François heurter les étagères, puis frapper la porte de ses poings. Mais elle avait déjà verrouillé la porte.

En cherchant son souffle, Odile s'éloigna du placard à reculons. François criait maintenant son nom, mais elle ne répondit pas. Elle s'empara de son blouson et récupéra la cassette qui avait glissé sous une table.

Lorsqu'elle sortit du local, elle entendait toujours les coups répétés de François dans la porte. Elle se retourna et, durant un instant, regarda vers le placard.

Juste avant de partir, elle éteignit les lumières.

Chapitre 18

Charles arriva chez Odile à dix-neuf heures, l'air inquiet. «Pas étonnant», pensa Odile en se rappelant la façon dont elle s'était comportée avec lui. Il bavarda poliment avec la mère d'Odile durant quelques minutes.

Puis, Odile et lui montèrent dans sa voiture et se rendirent au restaurant où ils étaient déjà allés ensemble. Lorsque la serveuse leur apporta leurs colas, Charles en but une gorgée.

— Bon, dit-il ensuite. Raconte-moi tout.

Odile s'exécuta. Elle lui raconta tout à propos de la cassette et de François. Ce qu'il avait fait à Olivier, et pourquoi. Ce qu'il avait fait pour mettre la main sur la cassette quand il avait appris que c'était Odile qui l'avait. Par contre, elle ne dit rien à propos de Suzie et David. Cela demeurerait leur secret. Et le sien.

— Après avoir enfermé François dans le placard...

Odile s'interrompit.

— Au fait, comment as-tu su que je me trouvais au local d'audiovisuel hier? demanda-t-elle.

154

— J'ai appelé chez toi et il n'y avait personne, répondit Charles. Je ne croyais pas te trouver à l'école, mais j'ai dû m'y rendre pour aller chercher quelque chose dans mon casier au vestiaire du gymnase. Je t'ai entendue en passant devant le local.

Il sourit.

— Tu ne m'as laissé aucune chance de m'expliquer.

«Une simple explication», se dit Odile en regrettant de n'être pas restée pour l'entendre.

— Bon, où en étais-je? Ah oui! Après avoir quitté l'école, j'ai téléphoné à la police, continua-t-elle. Je viens de passer deux heures au poste de police. J'avais peur qu'on ne me croie pas, mais on m'a crue, même avant d'avoir vu la cassette. Je n'ai pas revu François, ajouta-t-elle. Tant mieux. Il fallait que je le dénonce, mais ça m'a bouleversée.

Charles acquiesça d'un air sympathique.

Odile refoula ses larmes d'un battement de paupières.

— Après être rentrée chez moi et m'être peu à peu remise de mes émotions, j'ai eu envie de t'appeler, dit-elle. Pour tout t'expliquer. Pour m'excuser, aussi, d'avoir pensé que c'était peut-être toi.

— Tu n'as pas besoin de t'excuser, dit-il. Je peux comprendre que tu m'aies soupçonné. Surtout après avoir vu ma réaction quand on a fouillé ton casier.

Il sourit un peu tristement.

— C'est à cause de mon frère, poursuivit-il. Il a fréquenté des jeunes pas trop recommandables durant quelque temps. Ils volaient à l'étalage et fouillaient les casiers de leur école. Quand tu m'as dit à propos du tien, expliqua-t-il, j'ai cru qu'ils avaient décidé de venir jusqu'à la polyvalente et que mon frère y était pour quelque chose.

Odile sourit.

— Il ne les voit plus maintenant?

— Non, je ne crois pas, répondit Charles. Ma mère et moi avons discuté avec lui et lui avons demandé de se secouer. Je crois qu'il a compris. Il n'a rien fait de mal, mais il aurait pu se laisser influencer. De toute façon, je ne crois pas qu'il s'entendait très bien avec eux.

— Aime-t-il les cartes de baseball? demanda Odile. J'ai toujours celles d'Olivier.

— J'ai oublié de te le dire, répondit Charles en riant. Je lui en ai parlé. Il a dit qu'il serait ravi de les avoir.

— Très bien. Je les apporterai lundi.

Odile avala une gorgée de cola.

— Encore une chose, dit-elle. À propos de la cassette d'Olivier...

— Tu veux savoir pourquoi j'avais l'air aussi fâché?

— Oui, dit Odile avec nervosité. Tu n'avais pas seulement l'air fâché, tu paraissais furieux, hors de toi.

Charles souriait.

— Ça n'a rien d'amusant, dit-elle. J'ai eu peur.

— C'était ce que je voulais, avoua-t-il. Enfin, je ne voulais pas *te* faire peur, mais effrayer mon frère. J'avais parlé à Olivier des problèmes de mon frère. Il m'avait conseillé de me mettre en colère pour le pousser à se prendre en main. Je lui ai dit que j'en serais incapable. Il m'a dit de faire une simulation.

— Une simulation ? répéta Odile.

— Oui. C'est ce que j'ai fait, dit Charles. Olivier et moi étions morts de rire quand j'ai eu fini, mais la caméra ne tournait plus.

— J'aurais dû te poser la question plus tôt. Alors, est-ce que cette méthode a fonctionné avec ton frère ?

— Je ne l'ai pas essayée, admit Charles. Ma mère et moi lui avons parlé, tout simplement. Personne n'a crié.

Il fit une pause.

— Olivier avait seulement voulu m'aider. Je regrette de n'avoir pu lui dire comment ça s'est terminé.

Odile sentit les larmes lui piquer les yeux et but son cola. Quand elle eut vidé son verre, elle leva les yeux et s'aperçut que Charles la regardait. Il souriait toujours.

— Qu'est-ce qu'il y a ? demanda-t-elle.

— Est-ce que ça compte pour un rendez-vous officiel aujourd'hui ? demanda-t-il.

— Je ne sais pas, dit Odile, surprise. Pourquoi ?

— Eh bien ! on sort ensemble demain soir aussi, lui rappela-t-il.

Il tendit le bras et écarta une mèche de cheveux de son front.

— Je pourrais m'y habituer.

Odile prit sa main et la serra.

— Moi aussi, dit-elle.

Dans la même collection

ACHEVÉ D'IMPRIMER
EN JUILLET 1994
SUR LES PRESSES DE
PAYETTE & SIMMS INC.
À SAINT-LAMBERT (Québec)